CB041005

ED & LORRA

NE WARREN

VIDAS ETERNAS

Agradecimentos e reconhecimentos especiais para
Ed Gorman por seu trabalho neste livro.

Publicado mediante acordo com Graymalkin Media, LLC.

Título original: The Haunted

Ilustração para A Divina Comédia, de Dante, por Jean Edouard Dargent, 1870 (p. 4)

Diretor Editorial
Christiano Menezes

Diretor de Novos Negócios
Chico de Assis

Diretor de Planejamento
Marcel Souto Maior

Diretor Comercial
Gilberto Capelo

Diretora de Estratégia Editorial
Raquel Moritz

Gerente de Marca
Arthur Moraes

Gerente Editorial
Marcia Heloisa

Editor
Bruno Dorigatti

Capa e Projeto Gráfico
Retina 78

Coordenador de Diagramação
Sergio Chaves

Designer Assistente
Aline Martins

Revisão
Isadora Torres
Jéssica Reinaldo
Talita Grass
Retina Conteúdo

Finalização
Sandro Tagliamento

Marketing Estratégico
Ag. Mandíbula

Impressão e Acabamento
Ipsis Gráfica

DADOS INTERNACIONAIS DE CATALOGAÇÃO NA PUBLICAÇÃO (cip)
Angélica Ilacqua CRB-8/7057

Curran, Robert
Ed & Lorraine Warren : vidas eternas / Robert Curran ; tradução de Eduardo Alves. — Rio de Janeiro : DarkSide Books, 2019.
256 p. : il.

ISBN: 978-85-9454-168-0
Título original: The Haunted

1. Exorcismo 2. Sobrenatural 3. Ciências ocultas 4. Terror 5. Warren, Lorraine 6. Warren, Ed — 1. Título II. Alves, Eduardo

19-0219 CDD 265.94

Índice para catálogo sistemático:
1. Exorcismo

[2019, 2025]

DarkSide® *Entretenimento* LTDA.
Rua General Roca, 935/504 – Tijuca
20521-071 – Rio de Janeiro – RJ – Brasil
www.darksidebooks.com

O PESADELO DE UMA FAMÍLIA

ROBERT CURRAN
com JACK & JANET SMURL

ED & LORRAINE WARREN

VIDAS ETERNAS

Tradução Eduardo Alves

DARKSIDE

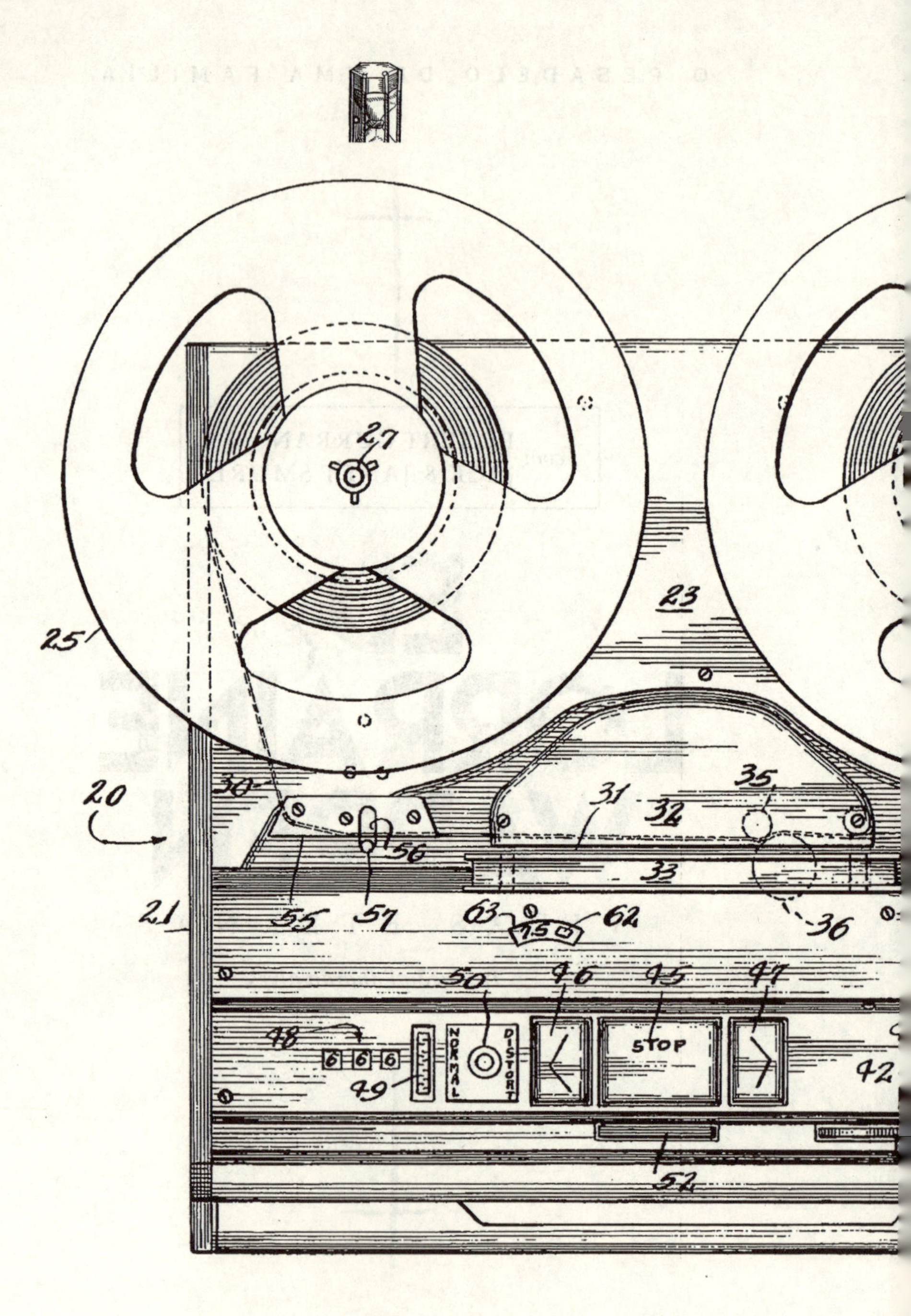

Fig. 1.

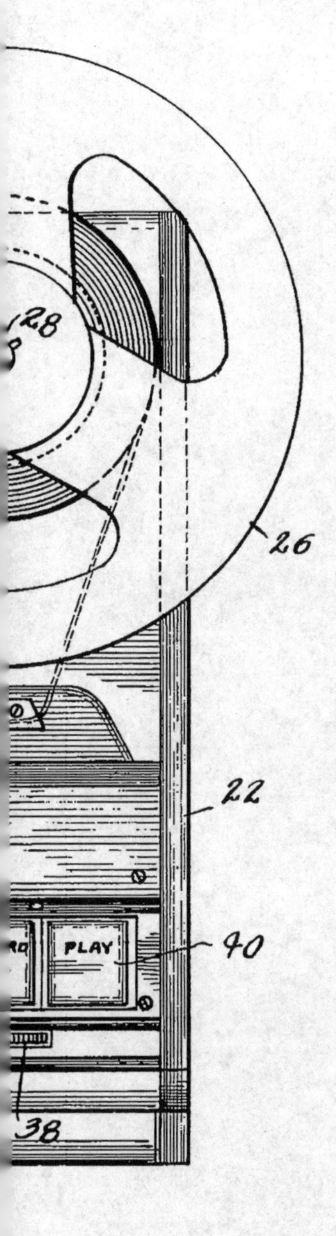
28
26
22
PLAY
40
38

SUMÁRIO

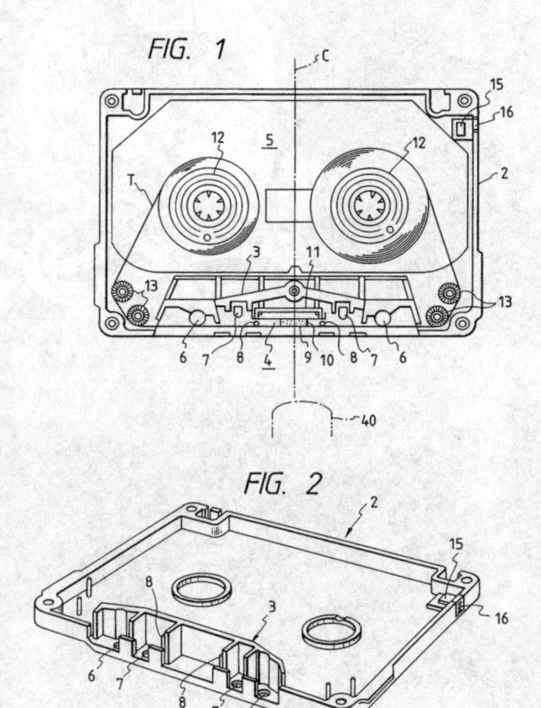
FIG. 1
C
15
16
12
5
12
T
2
3
11
13
13
6
7
8
4
9
10
8
7
6
40
FIG. 2
2
15
8
3
16
6
7
8
7
6

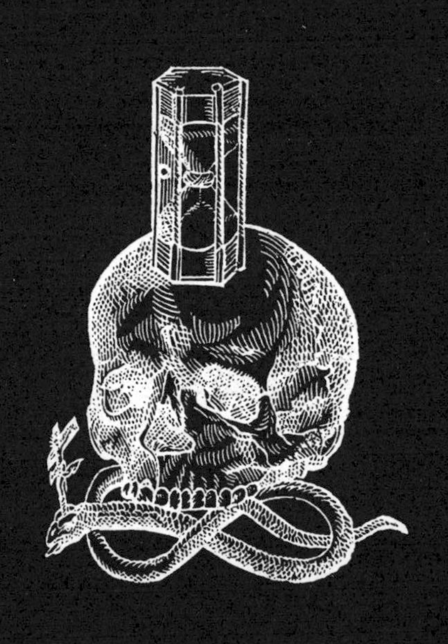

O REINO SOBRENATURAL

Nota do Autor

O livro que você está prestes a ler foi compilado a partir de testemunhos dos oito residentes do número 328-330 da Chase Street, assim como de outras 28 pessoas que vivenciaram fenômenos sobrenaturais ligados à família Smurl.

Algumas das pessoas cujos nomes aparecem neste livro receberam pseudônimos para preservar suas privacidades; outras deram permissão para que seus nomes fossem usados.

Um personagem, Donald Bennett, é uma combinação de três pessoas que trabalharam com Ed e Lorraine Warren. O papel desse personagem fictício, no entanto, não está ligado aos eventos sobrenaturais que aconteceram na Chase Street.

Poucas liberdades foram tomadas a respeito da cronologia dos eventos, e alguns momentos e diálogos foram recriados de modo dramático. Mas cada evento descrito segue estritamente os fatos relatados pelas testemunhas.

Eu gostaria de expressar meu profundo apreço por todas as pessoas que me concederam entrevistas gravadas em fita e que forneceram informações sobre as dificuldades da família Smurl e sobre o misterioso reino sobrenatural.

Incluem-se entre essas pessoas parentes, amigos, vizinhos e conhecidos da família Smurl, e dezenas de outras que forneceram dados importantes. Inúmeros padres católicos romanos foram de ajuda especial, assim como diversos outros clérigos e rabinos.

Também sou grato a Mike McLane, meu colega da sala de redação do *Scrantonian Tribune*; ao fotógrafo Bob Ventre e sua assistente, Tina Sandone; a Bill Hastie, curador-assistente da Sociedade Histórica e Geológica do Wyoming, em Wilkes-Barre; e por último, mas nem por isso menos importante, a minha esposa Monica, por sua assistência inestimável em muitos aspectos deste livro.

O DEMÔNIO SEMPRE RETORNA

Prefácio

Este livro deixará muitas pessoas transtornadas. Pelo fato de lidar de modo fatual com provas do mundo demoníaco, ele causará pesadelos em alguns e dará a outros confirmação de que eles próprios possam estar enfrentando desafios impostos pelo mundo das trevas.

Ed & Lorraine Warren: Vidas Eternas trata de um casal da Pensilvânia, Janet e Jack Smurl, e suas quatro filhas. Por quase três anos o lar vem sendo infestado por demônios ou, como alguns preferem dizer, vem sendo "assombrado". Não há nenhuma dúvida quanto a isso. Muitas pessoas, de vizinhos a jornalistas, viram e ouviram a infestação em primeira mão.

Por que um demônio escolheu infestar a vida dos Smurl, que são pessoas religiosas, trabalhadoras e honestas?

Eu gostaria que houvesse uma resposta fácil para isso. Além do mais, apreciaria que minhas próprias tentativas de exorcizar esse demônio tivessem sido bem-sucedidas. Mas, embora eu tenha rezado a missa na casa deles e realizado três ritos de exorcismo, o demônio sempre retorna.

Sempre.

Eu monitoro a situação dos Smurl por meio de meus amigos Ed e Lorraine Warren,[1] que foram os primeiros a me apresentarem não apenas aos Smurl, mas também ao reino da infestação propriamente dito.

Foram os Warren que, ao atenderem às necessidades de outro casal cuja casa fora infestada, me ajudaram a compreender o papel-chave que padres podem desempenhar na luta contra o mal.

1 Ed Warren nasceu em 1926 e faleceu em agosto de 2006; Lorraine Warren, nascida em 1927, juntou-se a ele no plano astral em abril de 2019, aos 92 anos. [Nota do Editor]

Ao longo dos últimos dois anos, eu, geralmente a pedido dos Warren, realizei cerca de cinquenta exorcismos. Nem todos foram bem-sucedidos, o caso dos Smurl é um deles.

Ed & Lorraine Warren: Vidas Eternas transmite ao leitor alguns dos horrores inimagináveis aos quais Janet e Jack foram submetidos. E fala sobre como a fé religiosa profunda e persistente pode manter uma família unida mesmo através das mais penosas provações, que passam por diversos tipos de violência.

Por ora, tudo o que posso fazer é olhar para os fatos reunidos neste livro e contemplá-los por meio de nossas próprias experiências e orações. Cada um de nós, em um momento ou outro, é confrontado por evidências do mundo das trevas, pois, assim como a obra reluzente de Deus está presente em todo nosso entorno, na luz do sol e no encanto das flores e na alegria nos rostos das crianças, também está evidente a obra do anjo das sombras, na doença e na loucura, e no tipo de tortura traiçoeira e interminável que os Smurl vivenciaram.

Mas por mais nefasta que essa tortura tenha sido, há afinal uma mensagem de esperança a ser encontrada nela. Aqueles de nós que não acreditam em uma força maior não vão conseguir chegar ao fim deste livro ainda descrentes.

— Bispo Robert McKenna, OP;[2] Monroe, CT
Junho de 1987

O bispo McKenna é um dentre os padres tradicionalistas e leigos da Igreja Católica que defendem o ritual antigo da Missa e dos Sacramentos contra as reformas do Concílio Vaticano II. Ele tem uma igreja em Monroe, Connecticut.

2 *Ordo Prædicatorum*, Ordem dos Pregadores em português. [Nota da Tradutora, daqui em diante NT]

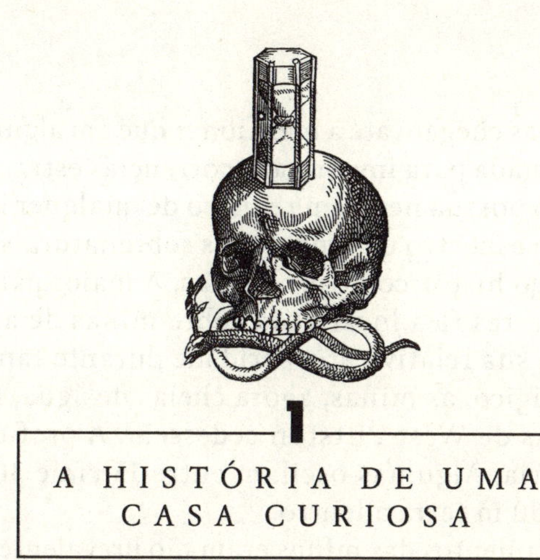

1
A HISTÓRIA DE UMA CASA CURIOSA

Entre aqueles que estudam o oculto, costuma-se acreditar que existem duas maneiras para que uma casa possa se tornar "infestada" por demônios.

Uma é a ocorrência de um ato violento que não apenas "convida" espíritos para dentro da casa, mas que também permite que permaneçam dormentes e apareçam a seu bel-prazer. Médiuns insistem, por exemplo, que é fácil sentir os ecos de um assassinato em uma determinada casa mesmo décadas depois do ato ter acontecido.

A segunda maneira de uma casa se tornar infestada é mais peculiar, por ela ser voluntariosa. O demônio é convidado a entrar por meio da prática de feitiçaria ou outras artes das trevas. Ed e Lorraine Warren, que figuram tanto no caso de Amityville quanto na história a seguir, referem-se a uma ocasião em que um tabuleiro Ouija, usado como uma simples brincadeira, fez com que uma casa se tornasse infestada. Pense, então, o que é possível acontecer se a pessoa que está convocando os espíritos das trevas agir com seriedade.

O endereço de número 328-330 da Chase Street, West Pittston, Pensilvânia, pertence a uma casa geminada construída em 1896. Desde essa época houve inúmeros donos e inquilinos, sendo os mais recentes entre estes John e Mary Smurl, seu filho Jack com a esposa Janet e sua família.

Muito tempo antes de os Smurl chegarem, porém, houve boatos a respeito da casa geminada. Residentes que preferem não ser identificados dizem que durante décadas houve histórias, algumas possivelmente verdadeiras, outras obviamente extravagantes, sobre a casa. Essas pessoas chegam até a mencionar que em algumas ocasiões a polícia foi chamada para investigar ocorrências estranhas, embora a autoridade não possua nenhum registro de qualquer investigação.

Mesmo sem o espectro de fenômenos sobrenaturais, West Pittston tem um longo histórico de problemas. A maior parte da cidade de 10 mil habitantes fica localizada sobre minas de antracito que renderam à área sua relativa prosperidade durante tantas décadas. De um modo trágico, as minas, agora cheias de água, fizeram com que muitas casas de West Pittston cedessem. A profundidade das subsidências varia. Algumas oscilam entre 15 cm e 30 cm — uma casa afundou 1,60 m terra adentro.

Os desmoronamentos das minas eram tão prevalentes e perigosos no fim da década de 1930 e no começo da década de 1940 que escolas tiveram que ser fechadas. Um prelado que passou algum tempo investigando assuntos ocultos sugere que os desmoronamentos possam ter feito com que demônios se erguessem de terrenos usados para propósitos satânicos. Ele menciona a descoberta de ossos suínos sob uma casa escavada. Os ossos estavam dispostos na forma de um hexagrama, o sinal do diabo.

Enquanto isso, na Chase Street...

Quando consideramos a história da casa geminada, estamos considerando praticamente metade da história deste país — o surgimento do telefone, eletricidade, carros motorizados, viagens aéreas, rádio, Segunda Guerra Mundial, vacina contra poliomielite, Guerra do Vietnã, viagens espaciais...

Passando por tudo isso, a casa geminada na Chase Street permaneceu em pé, testemunha de gerações nascendo e avançando história adentro.

Em uma década você via carros Ford modelo T do lado de fora da casa, e na década seguinte um Chevy com estribos; então um Mercury cupê 1951 e em seguida o advento de pequenos carros estrangeiros.

E durante boa parte desse tempo os boatos persistiram. Por inúmeras décadas foram contadas histórias — aos sussurros, na verdade — a respeito da casa.

Uma delas dizia que ruídos estranhos e terríveis podiam ser ouvidos dentro da casa mesmo quando estava desocupada.

Outra relatava como alguns pais eram tolos por deixarem que seus filhos brincassem perto da casa porque certas coisas indescritíveis tinham sido vislumbradas através das cortinas abertas.

Então houve a insinuação de que em algum lugar nas cercanias feitiçaria estava sendo praticada e que seus poderes das trevas podiam afetar toda a vizinhança.

Boatos.

"Era o lugar perfeito para uma noite de Halloween", diz um antigo residente que pede para permanecer anônimo. "Pense em si mesmo como uma criança pequena. A lua está cheia e tem abóboras esculpidas em todas as janelas, e então temos essa casa que deixa toda a vizinhança com uma estranha fascinação. Na hora do jantar você às vezes ouvia seus pais conversando sobre ela, mas eles não sabiam muito mais do que você, na verdade. Só que alegavam que coisas satânicas aconteciam lá de vez em quando. Então, na noite de Halloween..." Ele ri, e mesmo hoje existe um certo toque de ansiedade em sua voz. "Bem, nunca pude confirmar se havia alguma coisa errada com a casa ou não. Tudo o que sabia era que quando eu chegava perto dela, eu tinha a sensação esquisita de que aquela casa não era como qualquer outra."

Boatos.

Nada que pudesse ser provado ou refutado.

Mas ainda assim eles persistiram.

E em 1985 os boatos finalmente se mostrariam verdadeiros.

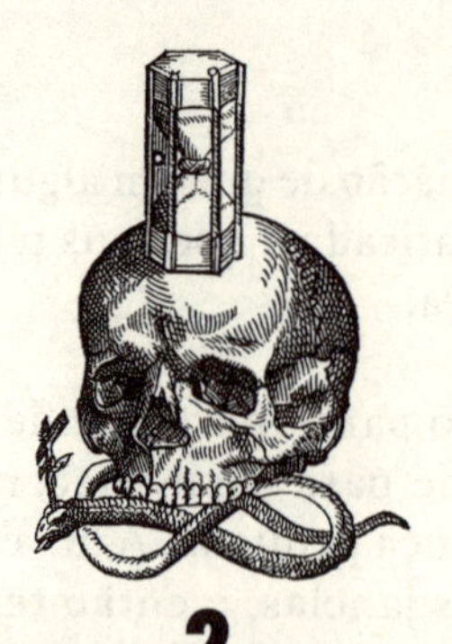

2

CHEGANDO À MAIORIDADE

A região carvoeira da Pensilvânia tinha muitas tristezas e pouca justiça.

Aproximadamente 1.300 km² do estado comportava um dos tesouros mais ricos de todos, antracito, o melhor de todos os carvões, porque ele oferece a maior porcentagem de carbono fixo e o menor conteúdo volátil. Ele também fornece maior potência de aquecimento, queima devagar e não solta fuligem nem fumaça na atmosfera.

Fortunas foram feitas a partir do carvão preto e brilhante tão rico na área ao redor de Wilkes-Barre, Scranton, Hazelton e Pottsville, mas muitas delas foram fortunas feitas sobre as costas dos imigrantes pobres, os irlandeses (o maior grupo), polacos, ucranianos, checos e italianos. Para cada vagão novinho em folha que abrigava um milionário extravagante, para cada mansão branca cintilante, havia centenas de homens e crianças nas profundezas da terra, arriscando e geralmente perdendo suas vidas por uma ninharia.

Como resultado, a área de mineração de carvão não demorou a se tornar violenta, com greves e desordens civis. A lei marcial foi declarada diversas vezes quando mineradores, cansados de labutar em troca de centavos e de ver filhos e pais morrerem nas profundas entranhas da terra, decidiram que era melhor sangrar contra a polícia estadual do que continuar vivendo em uma pobreza miserável.

Apenas aos poucos os salários melhoraram.

Apenas aos poucos diretrizes de segurança foram estabelecidas.

Apenas aos poucos tornou-se ilegal que crianças (algumas delas de apenas 5 anos) trabalhassem nas minas.

Apenas aos poucos.

Dizia-se que o imigrante que ia para os Estados Unidos no século XIX levava duas coisas com ele para o Novo Mundo — bolsos vazios e uma aliança quase beligerante à Igreja Católica Romana, como os soberanos protestantes da época descobriram, para seu espanto.

Cada grupo étnico tinha sua própria igreja — uma para os polacos, uma para os checos, uma para os irlandeses. Em conjunto com uma crença na supremacia do Vaticano, esses grupos tinham uma outra questão em comum: um medo inconfesso, mas profundamente enraizado do sobrenatural. Em seus antigos países tais assuntos eram tratados abertamente e com um respeito cauteloso; aqui, durante a época da Revolução Industrial, com a ciência dura e fria como mestre de tudo, tais crenças marcavam você como inferior tanto em posição quanto em educação. Na era da produção em massa, cirurgia e locomotiva a vapor, apenas um tolo perderia tempo pensando a respeito da existência de fantasmas, lobisomens e vampiros.

E mesmo assim, nos confins de suas igrejas, com as velas votivas brancas, azuis e verdes lançando sombras longas, mulheres idosas com cachecóis grosseiros nas cabeças sussurravam sobre tais coisas e transmitiam suas crenças para filhos e netos.

Se você cresceu na região das minas de carvão da Pensilvânia, você aprendeu depressa que o filósofo político Emerson não estivera exagerando quando disse que autoconfiança era a virtude mais importante de todas.

Para começar, quando o presente século já estava bem avançado, as famílias imigrantes tendiam a ter grandes proles, o que significava que as crianças tinham que aprender cedo a trabalhar e trabalhar duro, não apenas para ajudar os pais, mas para garantir a própria sobrevivência. A necessidade forçava muitas crianças imigrantes a abandonar a escola na quarta ou quinta séries a fim de arrumar empregos em tempo integral, como entregar compras no lado "certo" da cidade por cinco centavos a hora até que sua "oportunidade" de trabalhar nas minas se apresentasse, o que inevitavelmente acontecia.

Mas a vida na área não era tão cruel quanto certos jornalistas da época optaram por retratar. Para começar, os grupos étnicos tinham levado pelo oceano um enorme senso de tradição e diversão. Nas noites de lua cheia durante a colheita ouvia-se música de acordeão e as batidas de pés dançantes. Na véspera de Natal, na missa da meia-noite, ouvia-se as lindas vozes de um coral de crianças cantando em latim sobre o menino Jesus. E nos dias de verão, ao longo das margens do rio, via-se jovens casais tímidos passeando pela grama verde da nova estação. Aprendia-se respeito pelos mais velhos, aprendia-se o valor do trabalho duro, aprendia-se que os Estados Unidos concediam bênçãos que nenhum outro país jamais poderia, e aprendia-se que você deveria morrer de bom grado para defender seu país ou sua família. Essas eram as regras que você aprendia a seguir e as levava consigo ao descer para as minas, e as levava consigo para as tavernas barulhentas nas noites de sexta-feira, e as levava consigo para seu leito de morte, onde, com os filhos e netos reunidos em volta, você transmitia para as gerações futuras as mesmas verdades com as quais você vivera a vida toda.

Depois da Segunda Guerra Mundial, houve algumas mudanças.

Os jovens que tinham ido à Europa e ao Pacífico para lutar pelo seu país não voltaram os mesmos.

A princípio, os idosos nas comunidades de imigrantes refletiam que as mudanças em suas atitudes eram pouco mais do que a reação a todo o derramamento de sangue e batalhas que tinham testemunhado.

Mas após alguns anos, via-se que os homens que haviam lutado na guerra tinham, na verdade, se distanciado de uma maneira sutil dos ideais de seus pais.

Com toda certeza, eles não tinham perdido a crença no trabalho duro, na honestidade, na fé religiosa ou na lealdade incondicional ao governo. Mas começaram aos poucos a expressar sonhos que seus pais, impedidos pela tradição e pelas lembranças amargas de guerras trabalhistas e da depressão, podiam apenas considerar como sendo imprudentes.

Muitos dos homens que voltaram da guerra disseram que não queriam trabalhar nas minas. Muitos deles disseram que queriam o tipo de casa pré-fabricada e colorida que viam sendo construídas em Levittown e em outros lugares. Muitos disseram que planejavam que cada um de seus filhos fosse para a faculdade e nunca tivesse que se conformar com a vida penosa que as gerações precedentes tinham sido forçadas a levar.

Os tempos estavam mudando, assim como o pensamento de uma geração inteira de pessoas da classe trabalhadora. Se os senhores de terra, os barões do petróleo e os figurões da política quisessem seus privilégios, eles com certeza teriam que começar a pagar por eles.

No ano em que Jack Smurl se formou do ensino médio, as seguintes músicas estavam no top dez: "Smoke Gets in Your Eyes", "Mack the Knife" e o sucesso inevitável de Elvis Presley, "A Big Hunk o'Love".

No ano em que Jack se formou no ensino médio, Dwight David Eisenhower ainda era presidente, os Yankees esperavam ganhar o troféu, e os Estados Unidos estavam correndo para se equiparar à Rússia na corrida espacial.

Isso foi no condado de Luzerne, onde o pai de Jack trabalhava como soldador em uma empresa siderúrgica e onde sua mãe tentava ajudar Jack a decidir o que ele queria fazer a respeito do futuro, agora que a formatura estava se aproximando.

Jack, que fora abençoado com um alto QI, poderia entrar com facilidade em uma faculdade ou seguir um grande número de ocupações que, naqueles dias, não exigiam ensino superior. Um garoto calmo, bom em esportes, que gostava de perambular pelo interior principalmente quando o outono agraciava as colinas com suas cores lindas, Jack gostara de seus anos escolares em uma escola católica em Wilkes-Barre, mas não estava ansioso com a perspectiva de mais estudos. Seu exterior descontraído escondia um coração aventureiro. Depois da escola, ele às vezes conferia os escritórios onde diversas ramificações das forças armadas mantinham recrutadores. Chegou em casa um dia com a notícia de que iria se alistar na marinha. Seus pais sentiram o que a maioria dos pais sentem em momentos como esse: felicidade pelo filho estar satisfeito consigo mesmo, inquietação em relação ao mundo lá fora e como ele pode ser cruel e indiferente com os jovens.

Jack Smurl levou para a marinha a ética de sua criação na região de mineração de carvão: ele trabalhou duro, obedeceu às ordens, fez o tipo certo de amigos (evitando os encrenqueiros e resmungões crônicos) e escolheu para si um serviço que exigia não apenas habilidade, mas também sensibilidade. Ele era um técnico em neuropsiquiatria e auxiliava médicos em tratamentos de eletrochoque.

Mesmo hoje em dia, a terapia de eletrochoque é um procedimento controverso. A eletroconvulsoterapia (ECT) refere-se simplesmente à passagem de uma corrente elétrica pelo cérebro humano em um intervalo muito breve; isso presumidamente ameniza a depressão do paciente ou reduz tendências suicidas. Embora a ECT tenha se provado eficiente, ainda existem muitos psicoterapeutas que a consideram como sendo bárbara, e útil apenas no tratamento dos efeitos de longo prazo de doenças mentais.

Jack viu a quantidade de homens que eram ajudados pelos tratamentos, o que foi uma das razões pela qual ele sentia tanto orgulho de seu trabalho. Ele também viu, pela primeira vez, como a realidade e irrealidade podiam ser confundidas por uma mente incerta da própria estabilidade. Ele se lembrou disso quando a própria vida, muitos anos depois, sofreu uma reviravolta sinistra.

A carreira de Jack na marinha lhe ensinou que o mundo abrangia uma variedade de pessoas e que um indivíduo tinha que aprender a tolerar seus comportamentos diferentes. Ela também lhe mostrou uma verdade fundamental da qual ele suspeitara em segredo o tempo todo: que gostava da região mineira da Pensilvânia e que, apesar dos sonhos de viagens, desejava voltar para lá quando seus dias na marinha chegassem ao fim.

E foi o que fez.

Ele voltou ao condado de Luzerne e começou uma vida como um jovem com aspirações a um bom emprego, uma esposa e família carinhosas, e alguns dos benefícios que observara enquanto viajava em seus anos na marinha. Ele sabia que havia apenas uma coisa que poderia lhe render todos esses benefícios — trabalho duro.

E, portanto, ele botou a mão na massa.

Durante a permanência de Jack na marinha, uma garota chamada Janet Dmohoski frequentava o ensino médio em uma escola pública em Duryea, próximo a West Pittston.

Janet, uma menina bonita que tinha um certo ar intelectual graças aos enormes óculos ovais, gostava de todas as coisas que a maioria de seus colegas gostavam, embora não tivesse nenhum interesse nas drogas ou na promiscuidade favorecidas pelo movimento hippie, a abrangente revolução social que estava tomando forma à época.

Criada pela mãe depois de um divórcio difícil, Janet, como a maioria dos adolescentes da região, tinha como obrigação ajudar com as tarefas domésticas (sua mãe era diretora de assistência a idosos em uma casa de repouso) e manter em dia as lições de casa junto a qualquer outra coisa que pudesse estar acontecendo — ligações de garotos, organização de bailes, filmes "romanescos" no cinema local (essa foi a era dos filmes inocentes da turma da praia, com Frankie e Annette).

Além da música, Janet gostava de caminhar na natureza e conversar com as amigas sobre todas as novidades mais quentes da escola, e de pensar nas inúmeras possibilidades futuras para si mesma. Durante o segundo e terceiro ano, ela considerou várias carreiras diferentes. Mas, mesmo à época, ela acreditava que criar crianças seria a melhor das obrigações, não apenas uma responsabilidade sagrada (como sua fé católica lhe ensinara), mas também um privilégio. Janet adorava pegar bebês no colo, brincar com eles, observar suas boquinhas se abrirem alegres enquanto ela lhes fazia cócegas ou fazia graça com eles.

No ano em que Janet se formou da Northeast High School, os três discos mais vendidos foram *Downtown*, *You've Lost That Lovin' Feeling* e *This Diamond Ring*. Para demonstrar como "os tempos estavam prestes a mudar", um disco chamado *Eve of Destruction* [Véspera da Destruição], um hino contra a guerra do Vietnã, vinha na esteira das outras canções mais frívolas.

Na noite da formatura de Janet, ela comemorou junto dos outros alunos, sentindo-se feliz e agradavelmente mais madura e ansiosa para ver o que a vida lhe reservava. Pouco tempo depois, Janet foi trabalhar no departamento de embalagens de uma fábrica de doces local.

Embora Jack trabalhasse lá, os dois só se conheceram em 1967, em uma festa de Natal.

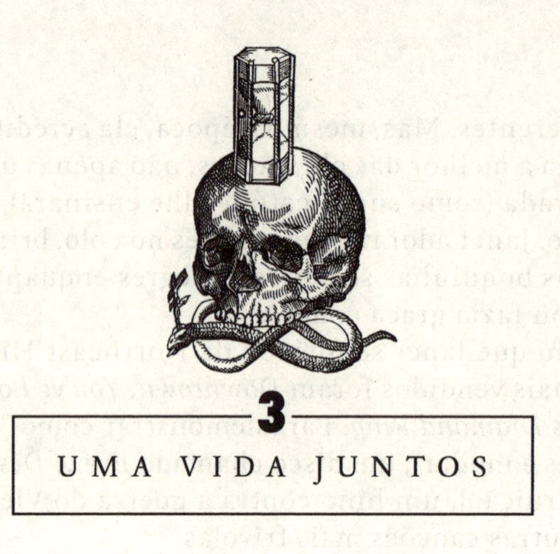

3
UMA VIDA JUNTOS

Para a nação, o período natalino de 1967 foi uma época particularmente amarga. Diversos assistentes administrativos de Johnson tinham começado a ver que a guerra no sudeste da Ásia não seria vencida, e a violência nos campi das faculdades continuava a piorar. O presidente Johnson, em um discurso natalício, teve a aparência descrita, nas palavras de um repórter, "como a de um homem assombrado pelos próprios pecados".

Para Jack Smurl, contudo, a vida estava melhor do que nunca. Seu emprego na fábrica de doces prometia promoções e um salário maior. Sua saúde estava boa, o corpo forte e esguio, não muito diferente daquele da estrela de cinema, Charles Bronson, com quem todos diziam que ele se parecia. Ele tinha muitos amigos e gostava de todos os tipos de esportes, como também de uma ocasional noite bebendo cerveja de baixo teor alcoólico com seus colegas de trabalho.

Havia apenas uma coisa que incomodava Jack, que à época estava com 27 anos, e isso era o fato de ainda não estar casado. Naquela parte do país, os homens costumavam se casar e formar uma família no começo da casa dos vinte anos. Embora tivesse havido algumas mulheres que, aos olhos de Jack, poderiam oferecer possibilidades de casamento, ele ainda não encontrara aquela com quem valesse a pena ter uma união para a vida inteira.

O Natal daquele ano foi uma época para comprar presentes para os pais e para a irmã, de ir às festas e se preparar para a onda de parentes com quem ele sempre passava as festas de fim de ano.

Era também época da tradicional festa da empresa, e foi lá onde ele conheceu a mulher com quem se casaria um ano depois, Janet Dmohoski.

"Acho que soube de imediato", reconta Janet hoje. "Eu gostei muito da maneira como ele se apresentou e o respeito que ele teve não apenas por mim, mas por todas as coisas que eu valorizava. Ele tinha um excelente senso de humor, mas nunca deixou que isso se tornasse cruel ou obsceno como alguns homens às vezes fazem."

"O engraçado", aponta Jack, "é que tínhamos trabalhado na mesma empresa há algum tempo, mas nunca tínhamos nos conhecido. Amigos nossos ficavam dizendo: 'Vá à festa da empresa hoje', e com certeza foi uma coisa boa eu ter ido, porque caso contrário eu poderia nunca ter conhecido a Janet."

"Compartilhávamos muitas crenças", diz Janet. "Nós dois éramos católicos. Acreditávamos na ética do trabalho. Não concordávamos com muitas das pessoas da nossa idade que curtiam drogas e protestos. Nós dois queríamos uma família e nós dois queríamos nos certificar de que a família fosse criada de maneira apropriada."

Aquele inverno foi a primeira estação do namoro deles — uma época em que o gelo cobria as árvores como fogo prateado ao sol da tarde, em que bonecos de neve com barrigas protuberantes e cenouras como narizes os cumprimentavam de suaves colinas ondulantes, e em que bochechas e dedos ficavam dormentes pelo frio.

"Deu muito certo, o nosso namoro", complementa. "Ele avançou depressa, mas não depressa demais. Levamos o tempo necessário para conhecermos um ao outro e descobrirmos o que gostávamos e não gostávamos. Acho que é por isso que nosso casamento é tão forte. Usamos nosso namoro para resolver as poucas diferenças verdadeiras que tínhamos." Ela ri. "E nos divertimos muito fazendo isso."

Filmes, bailes, festas eram elementos do namoro, assim como encontros com grupos que ajudavam a comunidade. Mais tarde, Jack se tornaria um célebre membro do Lions Club[1] local, assim como Janet se tornaria uma Companheira Leão igualmente ocupada.

Botões apareceram nas árvores; a grama ficou verde. Na zona de mineração de carvão da Pensilvânia, as colinas primaveris são uma mistura ondulante de folhagem e rocha, com solos dentre os mais

1 Lions Club International é uma das maiores organizações internacionais de clubes voltada para serviços humanitários. Seus membros são conhecidos no Brasil como Companheiro Leão e Companheira Leão. [NT]

ricos da região oriental do país, contendo do calcário ao xisto. Com abundantes áreas para piquenique e acampamento, Jack e Janet descobriram outro interesse em comum, a natureza. Ao mesmo tempo em que a Pensilvânia faturava quase 3 bilhões de dólares com antracito e outros minerais por ano na década de 1970, ela também produzia um volume líquido de tábuas de mais de 1 milhão de metros cúbicos por ano. Rios, lagos e terrenos ondulantes emprestam beleza ao interior, e árvores tais como abetos, pinheiros-brancos, bétulas, nogueiras e nogueiras-pretas lhe emprestam unicidade. As florestas, áreas para acampamento e margens de rios por onde Janet e Jack caminhavam, eram também abundantes em vida animal. O casal desfrutou do espetáculo portentoso do urso-negro e da graça do veado-de-cauda-branca. Para aqueles que gostavam de pescar havia riachos repletos de bagres, robalos e trutas — tudo o que você poderia desejar.

Então era outono, e as colinas ardiam com o encanto irônico de um interior prestes a morrer. Havia bailes da colheita celebrando lendas e mitos trazidos de terras natais muito tempo antes, e havia planos cada vez mais intensos para o casamento, agora que ele fora anunciado oficialmente e aprovado por ambas as famílias.

Enquanto Janet e Jack ainda sentiam os maravilhosos prazeres de um novo amor, eles também sentiam a afeição se intensificando e se transformando em confiança e afinidade sólidas. Tanto os pais quanto os colegas de trabalho estavam felizes pelo casal e expressavam isso organizando exuberantes chás de cozinha, jantares e festas.

Janet e Jack, por serem católicos, receberam instruções matrimoniais de um dos padres da paróquia local, e então aguardaram o dia com o qual ambos tinham sonhado por quase um ano.

Novembro, a primeira neve; o céu cinzento com a mais densa penumbra dos meses de outono. Mas nem mesmo novembro conseguiria arruinar o brilho que ardia de modo constante dentro deles.

Por fim, época de Natal, seu verdadeiro significado sendo o nascimento do menino Jesus nos arredores empobrecidos de um estábulo há mais de 2 mil anos — um significado que não se perdeu no dia 28 de dezembro de 1968, o dia do casamento.

"Por ser católico, acredito que o casamento é um sacramento, no sentido literal, uma experiência sagrada. E foi sempre assim que o tratamos", diz Jack.

Havia algo tocante em ver pessoas que tinham labutado com as mãos o dia inteiro arrumados em vestidos coloridos e smokings, flores vermelhas ou brancas nas lapelas dos homens, corsages de gardênias ou rosas nas mulheres. E para onde se olhasse via-se a continuidade da qual a região de mineração de carvão sentia tanto orgulho — os filhos, a geração futura — dançando no ritmo da música junto dos seus avós, e geralmente tendo liberdade para perambular pelo salão. Nas janelas, a luz invernal desvaneceu e a noite caiu, e a música perdeu seu timbre estridente e se tornou mais francamente sentimental. Então os maridos encontraram os braços de suas esposas e renovaram seu amor dançando ao som de canções como "Harbor Lights", "Tennessee Waltz" e "The Christmas Song".

E quando se olhava ao redor naquela noite, via-se um casal muito especial, o centro das atenções pelo menos naquele dia. Jack e Janet Smurl eram agora marido e esposa.

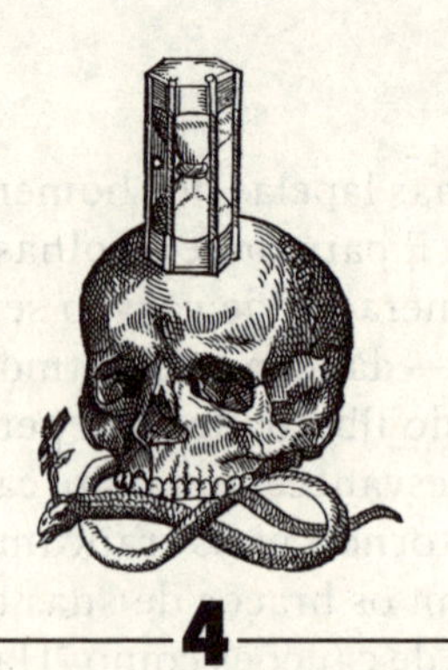

4
MUDANÇA PROBLEMÁTICA

Os primeiros anos de casamento foram especialmente agradáveis para Jack e Janet Smurl. Suas duas primeiras filhas, Dawn e Kim, chegaram, Janet largou o emprego e se tornou uma dona de casa em período integral, e Jack se viu progredindo tanto em termos de pagamento quanto de prestígio na empresa onde trabalhava. Eles moravam com os pais de Jack, John e Mary Smurl, em uma casa em Wilkes-Barre.

Então, em 1972, o furacão Agnes invadiu o nordeste da Pensilvânia e a casa onde as duas famílias viviam foi inundada por 3,5 m de água. Embora John e Mary tivessem reformado a casa em Wilkes-Barre, uma autoridade da secretaria da habitação local a confiscou e os forçou a se mudarem.

Foi então que John e Mary compraram a casa geminada de número 328-330 da Chase Street em West Pittston, uma cidade de 10 mil habitantes nos arredores, por 18 mil dólares no outono de 1973. A Chase Street é estreita e corre perpendicular à Wyoming Avenue, a poucos quarteirões do único shopping center da cidade, o Insalaco's. Existem inúmeras casas geminadas mais antigas no lado norte da rua, com residências unifamiliares mais novas dominando o outro lado. É um bairro modelo de classe trabalhadora: limpo, bem cuidado, com bandeiras norte-americanas chamativas à luz do dia durante os feriados nacionais.

Na época em que compraram a casa, John e Mary Smurl sabiam pouco sobre os ocupantes anteriores, exceto que o lado de número 328 pertencia a um senhor idoso e estivera desocupado por muitos anos, e que o número 330 pertencia a uma senhora que o alugara para inquilinos. Eles fizeram todas as inspeções necessárias na casa — encanamento, iluminação, fundação, cupins, hipotecas — e encontraram tudo em ordem. No outono de 1973, eles se mudaram.

Nesse mesmo período, os Smurl mais velhos venderam o lado norte da casa geminada para Jack e Janet por um preço bem abaixo do valor de mercado, 4 mil dólares. Encantados e mais felizes do que jamais estiveram, Jack e Janet e as duas filhas se mudaram para o número 328 da Chase Street no dia primeiro de outubro de 1973.

A vida em West Pittston era ainda melhor do que seus dias anteriores de casados tinham sido. Janet se tornou ativa na comunidade e ajudou a formar o clube de Companheiras Leão de West Pittston, atuando como primeira presidente. Ela também foi uma das organizadoras do comitê local de Estudantes Contra Dirigir Sob a Influência do Álcool na área escolar do Wyoming.

Jack e Janet também participavam juntos de atividades da comunidade. O casal ajudou a formar uma liga feminina de *softball* e trabalharam longas horas no Cherry Blossom Festival, que ajudava grupos cívicos e de jovens da comunidade. Jack era ativo no Lions Club de West Pittston e foi secretário do clube por dois anos.

Durante os primeiros dezoito meses no novo endereço, suas horas foram preenchidas pelos filhos, compras no supermercado, missas, reuniões de grupos cívicos e longas, longas horas de trabalho: Janet na tábua de passar, pia e fogão, Jack na fábrica onde estava a caminho de um cargo como gerente pleno.

Aqueles que conheceram os Smurl naqueles primeiros dezoito meses dizem que em raras ocasiões tinham conhecido um casal mais feliz. Era preciso relembrar os sonhos das gerações anteriores na terra do antracito para compreender o que eles tinham passado a simbolizar — sucesso. Nada de carros chamativos, nada de vida extravagante e egoísta, nada de pensamentos e roupas da moda, mas sucesso como aquela parte do país o compreendia — eles labutavam por longas horas, pagavam suas contas, a família era o centro de suas vidas, sua crença em Deus se tornava mais forte a cada ano e eles estavam dispostos a estender o tipo de caridade que Cristo ensinou ser necessária para uma vida santa por meio das atividades cívicas. Era possível ver tudo isso, os vizinhos diziam, no modo como Jack abarcava, abraçava e beijava esposa e filhas quando chegava em casa.

Dezoito meses do tipo de felicidade pela qual muitos anseiam, mas poucos conseguem.

Tamanha era a felicidade que eles não deram muita importância a certas coisas peculiares que começaram a acontecer dentro dos números 328 e 330 da Chase Street.

A MANCHA

Em janeiro de 1974, Mary Smurl comprou um tapete vermelho novo. Quando os funcionários da empresa de tapetes o desenrolaram na sala de estar, Mary descobriu que o tapete tinha uma mancha enorme e redonda de graxa.

Naquela noite, John e Mary usaram uma solução de limpeza no tapete e a mancha desapareceu por completo. Dois dias depois, quando desceram para tomar café da manhã, descobriram que a mancha tinha reaparecido.

Aí começou um processo frustrante e um tanto enervante: John e Mary removiam a mancha apenas para vê-la reaparecer alguns dias depois. Por fim, eles levaram o tapete para o lixão da cidade, compraram um novo e não tiveram nenhum problema com ele.

APARELHO DE TELEVISÃO

Jack Smurl é fã de filmes de faroeste — admirador de John Wayne, em especial, cujo retrato está pendurado na sala de estar. Cansado depois de um longo dia de trabalho, Jack estava diante da televisão certa noite em 1974, apreciando um filme de faroeste, quando de repente o aparelho, sem nenhum aviso prévio, irrompeu em chamas, do modo como faria caso uma bomba tivesse sido lançada contra ele. Parte do aparelho derreteu em labaredas e fumaça antes que Jack conseguisse apagar o fogo.

O fogo na televisão foi seguido por muitos outros pequenos incêndios na residência dos Smurl. Um fogão elétrico novo pegou fogo pouco depois de ser comprado. Da mesma maneira, a fiação elétrica do carro novinho em folha de Jack Smurl pegou fogo alguns dias depois de comprado.

VAZAMENTO NO ENCANAMENTO

Durante a imensa reforma que ambas as famílias realizaram na casa geminada ao longo de 1974, John Smurl, um soldador experiente, soldou trinta conexões em tubos de cobre para os canos de água. Quando Jack ligou a água, contudo, todas as conexões vazaram. Perplexo, John Smurl soldou os canos uma segunda vez. Eles vazaram novamente.

A ocorrência misteriosa foi seguida de outros problemas menores, mas irritantes. Reparos que deveriam levar dez minutos de repente se tornavam projetos enormes que demoravam horas. Problemas no encanamento eram constantes. Um cano de escoamento no qual tanto John quanto Jack trabalharam teve que ser consertado cinco vezes antes que pudesse, afinal, se tornar utilizável.

MARCAS ESTRANHAS

Jack e Janet sentiam muito orgulho de como tinham reformado o banheiro. Dentre outras coisas, eles instalaram uma pia e uma banheira novas. Mas acordaram na manhã depois do término da reforma para descobrir que a pia e a banheira de porcelana tinham sido riscadas de um modo irreparável, lascas tendo sido arrancadas. A visão era feia e perturbadora, como se as garras de alguma besta ensandecida tivessem arranhado a porcelana.

Os indícios desses arranhões continuaram. Diversas vezes Jack pintava o madeiramento e a moldura perto do teto, apenas para encontrar, de manhã, marcas de garras riscadas sobre o trabalho da noite anterior.

O TEMOR DE DAWN

Dawn Smurl sempre fora atlética, inteligente e pouco propensa ao tipo de imaginação extravagante comum aos outros jovens. Desde o início, ela fora de grande ajuda para a mãe dentro de casa e uma aluna aplicada na escola. Quando ficava chateada com alguma coisa, Jack e Janet sabiam que devia haver uma boa razão.

Ao longo de 1975, Dawn correu diversas vezes até o quarto dos pais gritando que tinha acabado de ver pessoas flutuando ao redor de seu quarto. A cada vez, Jack ia até o quarto de Dawn e investigava, mas era incapaz de encontrar alguma coisa.

PEQUENAS IRRITAÇÕES

Em 1977, os Smurl já estavam cientes de que sua casa era "assombrada" de alguma maneira. O fato de acharem que muitos dos incidentes eram engraçados atestava seu bom senso e fé religiosa.

A descarga disparava diversas vezes, por exemplo, sem ninguém no banheiro.

Os rádios ligavam, retumbantes, mesmo quando não estavam na tomada.

Jack Smurl ouviu passos no andar de cima, e gavetas sendo abertas e fechadas em dois dos quartos. Ele estava sozinho em casa na ocasião.

Ao longo dos quatro anos seguintes, conforme a família ganhava mais dois membros (as gêmeas Shannon e Carin nasceram em 1977), os estranhos eventos continuaram.

Nas primeiras horas da manhã, Jack e Janet ouviam as cadeiras de jardim rangendo na varanda da frente, como se houvesse pessoas se balançando nelas. Depois de ouvirem os rangidos três vezes, os Smurl desceram para investigar. Encontraram as cadeiras vazias, mas se movendo, como se habitantes invisíveis estivessem sentados ali.

Certa noite, Jack estava deitado na cama quando sentiu uma carícia suave nos ombros. Ele presumiu que a esposa estava sendo romântica. Contudo, quando se virou para ela, encontrou-a dormindo.

Durante a maior parte de 1983, a residência dos Smurl exalava algum odor fétido, embora inexplicável. A princípio, as meninas brincavam dizendo que era o "chulé" de Jack. Mas não importava o quanto a família procurasse, eles não conseguiam encontrar a fonte do odor nem livrar a casa dele. O que Jack se lembra, em retrospecto, é que o odor apareceu pela primeira vez em um momento em que estava ajoelhado diante da cama, rezando os terços.

A casa ficaria ainda mais curiosa conforme as semanas e os meses passavam. E Janet e Jack Smurl começariam uma frustrante busca por ajuda que duraria dez meses e que faria apenas com que se sentissem mais isolados e assustados. Janet, por exemplo, contatou o Departamento de Mineração para ver se algumas das coisas estranhas que estavam acontecendo na casa poderiam ser resultado do processo conhecido como subsidência. O funcionário do departamento pediu aos Smurl que verificassem a fundação à procura de indícios de rachaduras ou esfarelamento. Nada foi encontrado. Mais uma vez, eles tinham procurado em vão por uma explicação para tudo aquilo que estava acontecendo com eles.

5

ENCONTRO COM UMA FORMA ESCURA

Janet sorriu consigo mesma. Ela se perguntou se era ilegal cheirar a grande garrafa vermelha de Era Plus, o lava-roupas líquido de sua escolha e que ela achava agradável cheirar.

Já era inverno e ela estava sozinha no porão. No andar de cima, a televisão podia ser ouvida bem baixinho; a plateia de um programa estava rindo de alguma coisa, depois aplaudindo. Durante os meses cinzentos de inverno, Janet considerava a televisão uma boa companheira nos momentos em que cuidava das tarefas domésticas.

Enquanto colocava as roupas na máquina de lavar, ela pensava no que iria fazer para o jantar daquela noite. Uma coisa a respeito dos Smurl, ela pensou consigo mesma, é que não era preciso se preocupar com pratos requintados. A família Smurl gostava de uma refeição composta do básico — carne, batatas, legumes. Comida assim não só tinha um gosto bom, como também era a maneira mais fácil para Janet garantir que sua família estava ingerindo as vitaminas e nutrientes essenciais.

Ela havia acabado de encher a máquina de lavar quando ouviu — ou pensou ter ouvido — seu nome ser chamado.

Ela fechou a porta da máquina de lavar e endireitou o corpo, u[illegible] mulher bonita de 37 anos vestida com uma camisa e calças.

Seu pulso acelerou, e ela sentiu o primeiro vestígio leve de s[illegible]ao longo da sobrancelha.

Teve a nítida impressão de que alguém tinha chamado [illegible]ome. Ela olhou ao redor da lavanderia. Um cesto verde de r[illegible] estava no canto leste, caixas de papelão contendo coisas como decorações de Natal e algumas roupas velhas das crianças estavam no canto oeste.

"Janet."

Dessa vez seu medo foi gélido e visceral. Ela sabia que seu nome fora chamado, e também sabia que não estava mais sozinha no porão.

Ergueu o olhar para a janelinha quadrada, para o dia cinzento que a preenchia. Sentiu o cheiro de Era Plus outra vez e ouviu o raspar da secadora e o suave bater da máquina de lavar — coisas do mundo real. Não era possível que seu nome estivesse sendo chamado do nada por alguma presença, mas era exatamente isso que estava acontecendo.

"Janet."

Dessa vez a voz veio de trás dela.

Ela girou nos calcanhares. Nada. Apenas o vazio.

"Janet."

A mesma voz. Suave. Feminina. Misteriosa.

Ela se perguntou como aquilo poderia estar acontecendo no meio da tarde com as luzes acesas.

"Janet."

Tudo o que conseguia fazer era fitar a área de onde a voz parecia emanar.

Mais uma vez uma forte sensação de que não estava sozinha fez seu coração bater mais rápido. Ela decidiu que havia apenas uma coisa que poderia fazer. Responder ao nome.

"O que você quer?"

A única resposta que teve foram os barulhos costumeiros do porão — a máquina de lavar e a secadora.

Certa vez ela assistira a um episódio do programa do *Donahue*, no qual uma mulher que fora estuprada dizia que se sentia violada depois do ato. De alguma maneira, era assim que Janet se sentia naquele momento, como se seu lar já não pertencesse a ela, como se o temor que por muito tempo permanecera inconfesso entre as famílias Smurl tivesse agora se mostrado definitivamente justificado.

Algo terrível estava acontecendo na casa geminada.

"Janet."

"O QUE VOCÊ QUER?", gritou Janet.

Será que ela imaginou ter ouvido a voz rir baixinho, parecendo sentir prazer no pânico e na confusão de Janet?

Mas outra vez não houve resposta.

Janet passou a mão trêmula pelo cabelo e respirou fundo para se acalmar.

Ela se afastou da máquina de lavar e andou por uma parte sombreada do porão até a escada.

No andar de cima, a plateia na TV ria e aplaudia mais uma vez.

Ela subiu a escada de costas, um passo de cada vez, mantendo os olhos na conhecida área da lavanderia.

Nenhum indício de uma forma fantasmagórica agitou o ar.

Nenhuma voz incorpórea se ergueu chamando seu nome.

Ela se perguntou por um instante se tinha imaginado aquilo. Talvez todos os pequenos aborrecimentos e mistérios a respeito daquela casa a tivessem afetado afinal, e ela simplesmente se entregara à imaginação.

"Janet."

Dessa vez, quando a voz chegou até ela, Janet se virou e correu escada acima, batendo a porta atrás de si.

Ela não conseguiu esperar para chegar ao quarto, onde mantinha um rosário especial que sua mãe lhe dera; caiu de joelhos bem ali na cozinha. Ela abaixou a cabeça e rezou para que o Senhor livrasse aquela casa de quaisquer que fossem os distúrbios que naquele momento a estavam afligindo.

Rezou conforme a tarde avançava, tanto de joelhos quanto caminhando pela casa, até que o precoce crepúsculo invernal lançasse longas sombras pela casa e as garotas, por fim, irrompessem pela porta com risos tão radiantes quanto o brilho do sol e histórias divertidas sobre o dia na escola.

Ao longo dos últimos meses, Jack e Janet Smurl tinham discutido diversas vezes sobre o crescente número de eventos estranhos em seu lar. Eles já tinham mencionado abertamente a possibilidade de sua casa ser "mal-assombrada", mas ainda não estavam preparados para admitir que essa, de fato, era a fonte de seus problemas.

Sempre que possível, por exemplo, eles procuravam por explicações naturais e lógicas para tentar justificar as atividades misteriosas. Quando conseguiam, riam de algumas das ocorrências mais peculiares, como a vez em que, embora o termostato marcasse 21°C, a casa estivera fria como um frigorífico. Ou da vez (nem um pouco engraçada) em que os pais de Jack tinham ouvido um linguajar desagradável e abusivo vindo do lado de Jack e Janet da casa geminada, mas o casal não estivera discutindo ou usando profanidades. Mais tarde, Mary Smurl admitiu ter demorado muitos meses para acreditar nisso.

Na noite seguinte àquela do incidente no porão, Janet Smurl conversou com o marido sobre como foi assustador ter ouvido o próprio nome sendo chamado e sentido a fria presença de algo sobrenatural com ela no porão.

Jack não duvidou nem um pouco dela.

Janet então disse o que eles pareciam evitar. "Precisamos de ajuda."

Ambos desconfiavam de muitas pessoas ligadas ao assim chamado fenômeno oculto, enxergando-as como nada mais do que charlatões. Como pessoas religiosas, os Smurl não tinham dificuldade em acreditar em outro plano de existência, e acreditar que este outro plano às vezes tocava o nosso plano de existência. Entretanto, a investigação que tinham realizado não os levara a lugar nenhum. Diversas pessoas tinham recomendado "especialistas" aos Smurl, mas esses especialistas fediam à atuação teatral e ganância.

"Eu vou começar a procurar alguém, Jack", disse Janet Smurl ao marido naquela noite.

"Eu também vou perguntar por aí."

Janet disse algo que nunca dissera antes. "Eu... eu estou começando a ficar com medo."

Jack esticou o braço por cima da mesa e segurou a mão da esposa. Seus olhos fixos nos dela. Sua voz foi pouco mais que um sussurro: "Eu também". Ele olhou ao redor para a geladeira e o fogão novos e para a cozinha recém-reformada, os frutos de seu trabalho duro. Tudo em seu lar parecia estranho e de certa forma perigoso agora, e graças a forças que eles mal conseguiam compreender.

Jack acendeu um cigarro, misturou açúcar no café. "Agora acontece alguma coisa quase todos os dias, não é?"

Ela assentiu. "Sim. Talvez nada importante. Mas todos os dias acontece algo."

Jack soprou fumaça e balançou a cabeça. Janet reconheceu orgulho e beligerância no gesto. "Nada vai nos botar para correr daqui, querida. Espere e verá. Nada."

Com essa nota de determinação, eles foram dormir.

Apesar da conversa com Jack, os temores e a ansiedade de Janet não se dissiparam.

Até mesmo as crianças começaram a perceber. "Mãe, você está bem?", perguntou Dawn, dois dias depois, durante o café da manhã.

"Estou bem, querida."

Dawn seguiu a mãe até a cozinha e sentou-se à mesa de fórmica no centro do pequeno cômodo, obviamente sentindo que Janet estava evitando conversar sobre seu humor.

"Treino de basquete hoje à noite?" Janet parou junto à pia e falou com a filha por cima do ombro.

"É", respondeu Dawn, mas sem o entusiasmo costumeiro. "Logo depois das aulas, como sempre." Dawn mudou de assunto bruscamente. "Mãe, você não está respondendo à minha pergunta."

"Qual pergunta, querida?"

"Você sabe qual. Sobre seu humor nos últimos dias."

Ela se virou e ficou de frente para a filha. Abriu o sorriso mais sincero possível. "Querida, estou bem. De verdade." Ela forçou uma risada. "Quanto mais você envelhece, mais esquisita você fica."

Mas Dawn não se deixou aplacar. "Estou preocupada com você, mãe. Estou mesmo."

Janet deu de ombros. "Querida, estou bem. De verdade."

Ela sorriu para Dawn e pensou em como estava orgulhosa dela. Dawn estava se transformando em uma jovem muito atraente, e equilibrava energia com inteligência e uma sensibilidade verdadeira pelas necessidades das outras pessoas. Dawn gostava da escola, tinha um namorado que a família apreciava e era uma excelente jogadora do time feminino de basquete. Não se podia pedir muito mais de uma filha como aquela.

"Suas irmãs estão prontas para a escola?", perguntou Janet.

"A Kim está", respondeu Dawn, se referindo à irmã de 12 anos. "Mas Shannon e Carin estão brigando no banheiro."

"O que acha de ir apressá-las?"

Dawn lançou um último olhar melancólico e demorado para a mãe e então se levantou. "Tudo bem", disse baixinho e saiu do cômodo.

"Shannon! Carin!", gritou Dawn conforme subia a escada que levava aos quartos, onde as gêmeas de 7 anos conseguiam enrolar a cada manhã enquanto se aprontavam para a escola.

Junto à pia, Janet acabou de lavar a louça que Dawn tinha usado para preparar o almoço que as meninas levariam para a escola. Levantou o olhar para o sombrio céu cinzento do lado de fora. Eram 7h30, mas poderia muito bem ser o crepúsculo. Se ao menos o mundo fosse um lugar tão alegre quanto o DJ no rádio afirmava ser... Ela voltou a pensar na voz que a chamara. Teria sido sua imaginação?

Quando deixou o porão e subiu para o andar de cima, fugindo do som, ela se forçou a andar pela casa e verificar todos os cômodos, todos os closets, embaixo de todas as camas, para se certificar de que não havia alguém ali se escondendo dela.

Ela não encontrou ninguém.

Nada.

Poderia ela ter imaginado a voz? Foi tão real. Mas qual outra explicação havia?

Janet estremeceu e decidiu pensar em outras coisas quando as garotas irromperam de seus quartos no andar de cima e correram com estardalhaço escada abaixo, prontas para a escola, afinal.

Como era de costume, Janet se curvou para que cada filha lhe desse um beijo de despedida — Dawn primeiro, depois Kim e então as gêmeas.

À porta da frente, Dawn segurou a mão da mãe e disse: "Por que você não vai comprar uma blusa bonita ou alguma outra coisa hoje, mãe? Talvez seja bom para você sair de casa um pouco".

Janet sorriu e apertou a mão de Dawn em resposta. "Sabe, você tem razão, querida. Talvez sair de casa seja uma coisa boa para mim."

Dawn fez sinal de positivo para ela. "Vai com tudo, mãe."

As meninas partiram para a escola.

O shopping das redondezas estava cheio de compradores. Dias de neve sempre pareciam atrair centenas de pessoas.

Janet visitou diversas lojas, desfrutando de sua manhã de folga, comeu um sonho e tomou uma xícara de café em uma pequena confeitaria, e então voltou para casa sem comprar nada para si. O passeio tinha elevado seu espírito tanto quanto uma blusa seria capaz.

Em casa, tirou a tábua de passar roupa do armário da cozinha e ligou o rádio em uma estação de rock leve. Então se pôs a trabalhar, pegando roupas de um grande cesto de plástico cheio de vestuários do cotidiano de todos os tamanhos, formas e cores necessários para uma família de seis — tudo, desde meias (o padrão em losango voltara a ser moda entre as garotas) e roupas íntimas (nada sofisticado; apenas do tipo que se comprava na Penney e na Sears) a camisas (donas de casa, Janet percebeu bem-humorada, deviam rezar de vez em quando pelo inventor da prensagem permanente; mesmo que fosse necessário dar alguns retoques na parte "permanente" com um ferro de vez em quando, ainda era muito mais fácil do que nos velhos tempos).

Enquanto trabalhava e deixava a mente vagar, ela sentiu um frio súbito no cômodo, como se uma janela de repente tivesse sido aberta para deixar entrar o ar gélido de fevereiro.

O frio a forçou a olhar para cima e foi então que ela viu a coisa.

"Eu fiquei muito calma", contou Janet mais tarde. "Nos filmes as pessoas sempre gritam e correm, mas eu só fiquei parada com o ferro ainda na mão e observei a coisa. Para ser honesta, a princípio não tive certeza nem se ela existia. Sabia que havia a possibilidade de eu estar alucinando ou algo assim. Mas ela começou a se mover na minha direção, e foi então que eu soube que não havia dúvidas quanto a isso — a coisa, o que quer que fosse, era real. Muito real."

A criatura era escura com formato humano. Uma capa esvoaçava às suas costas. Mas o mais perturbador era que o rosto não tinha nenhuma feição.

Quanto mais Janet olhava com atenção, mais ela via que a criatura não tinha uma substância verdadeira. Parecia ser feita de uma escura fumaça espessa e ondulante, nem um pouco sólida, e dava para ver através dela. Um odor estranho, mas não agressivo, pendia no ar. A criatura media aproximadamente 1,75 metro (Janet a mediu comparando-a com a altura da geladeira) e parecia deslizar em vez de andar.

A coisa passou bem perto dela, o frio e o odor mais avassaladores agora. Atravessou a cozinha e entrou na sala de estar.

A princípio Janet ficou paralisada. "Eu não me dei conta no momento, mas tenho certeza de que estava em estado de choque. Tudo o que consegui fazer foi ficar parada e meio que piscar os olhos para o lugar onde a criatura estivera. Consigo me lembrar de como meu coração batia forte e como eu não podia nem forçar um grito a sair da minha boca. Eu fiquei simplesmente... Paralisada é a única palavra."

Depois de um minuto inteiro ter se passado, Janet baixou os olhos para a mão e viu o ferro quente que ainda estava segurando. Ela o apoiou na tábua de passar roupa e deu passos lentos e cuidadosos na direção da sala de estar.

Ficou em silêncio na soleira da porta entre a cozinha e a sala de estar. Não havia ninguém ali. A casa estava quieta.

Janet entrou na sala de estar e olhou em volta. Nada. Assim como naquele dia depois de ter ouvido a voz feminina chamando seu nome.

Olhou ao redor do cômodo. Pela primeira vez desde que os Smurl tinham se mudado para lá, Janet começou a ver todos os possíveis esconderijos que arrombadores — ou criaturas de qualquer espécie — poderiam usar.

A casa que fora seu orgulho agora lhe proporcionava indícios de que também poderia ocultar segredos ameaçadores.

Parada com o corpo rígido no centro da sala de estar, os braços cruzados de modo protetor diante de si, Janet puxou o ar em uma respiração trêmula e piscou para afastar as lágrimas.

Janet costumava visitar os sogros no outro lado da casa geminada com frequência. Havia duas razões para isso. Primeiro, John e Mary Smurl tinham se tornado amigos queridos e íntimos. Segundo, Mary estivera sofrendo de uma variedade de doenças por muito tempo (poucos meses depois, ela também sofreria um ataque cardíaco).

Vinte minutos após a forma escura e assustadora ter passado pela sua casa, Janet foi visitar a sogra. Ela estava determinada a discutir com sinceridade a experiência que acabara de ter. Com a maioria das outras pessoas, Janet teria se sentido apreensiva sobre revelar tais coisas. Mas ela sabia que Mary a ouviria com calma e moderação e talvez até tivesse algumas sugestões a respeito do que Janet deveria fazer.

"No fim das contas, foi ela que me surpreendeu", conta Janet Smurl hoje. "Eu corri até o lado de Mary — eu devo ter parecido meio enlouquecida quando passei pela porta, o olhar desvairado por causa do que tinha acabado de testemunhar. Lembro de ficar tentando pensar em como mencionaria o assunto. 'Mary, acho que acabei de ver um demônio do inferno'? Sabe, eu não queria parecer louca. Não queria que ela pensasse que eu estava perdendo a cabeça e tal. E foi aí que ela me surpreendeu por completo."

Janet Smurl mal entrara na casa de Mary quando notou que a mulher mais velha estava agindo de maneira estranha. Mary costumava lhe dar um sorriso rápido e logo lhe oferecer café e algum pãozinho. Mas, naquele dia, a mulher mais velha sentava-se rígida em uma cadeira de balanço de madeira no estilo colonial com uma mantinha colorida pendurada no encosto, e mal reconheceu a presença de Janet.

Janet sentou-se e acendeu um cigarro de menta Salem, queimando-se com o fósforo. Ela ainda estava tão transtornada pelo que tinha visto que não conseguia se concentrar direito.

Janet relembra: "Sabe como você fica depois que alguma coisa muito ruim acontece — você não consegue se forçar a voltar à realidade. Eu tinha ido até lá para contar a Mary o que tinha acontecido, mas então me dei conta de que não sabia como iria mencionar o assunto".

Mas Janet não precisava ter se preocupado.

Mary Smurl, inclinando-se para frente na cadeira de balanço, parecendo pálida, disse: "Tenho que te contar uma coisa, Janet".

"Curioso. Foi por isso que vim aqui. Para contar uma coisa a você."

"Eu ainda não consigo acreditar."

Janet percebeu como as mãos de Mary tinham ficado tensas enquanto apertavam os braços da cadeira de balanço. Janet notou um terrível medo e confusão na sogra e então se perguntou se a forma escura tinha ido até lá também.

Mary disse: "Talvez você nem acredite em mim, Janet. Não sei se *eu* acredito em mim. Talvez eu esteja ficando velha. Talvez eu esteja...". Ela balançou a cabeça. "Teve uma coisa — uma coisa escura — não sei como chamar de outra maneira. Ela atravessou a parede e..."

"Eu dei risada", relembra Janet. "Não consegui me conter. Eu estava aliviando uma enorme tensão. Eu estava ali, com medo de contar a Mary o que tinha acontecido comigo e acabou que ela havia acabado de vivenciar a mesmíssima coisa."

Mary fez o sinal da cruz, pegou um cartão-novena que usava para rezar todas as tardes. "Eu estava sentada aqui na minha cadeira, com os pés para cima, rezando minhas novenas, quando senti um tipo de presença. Olhei para cima e vi essa forma aparecer, descendo a escada e entrando na sala. Ela passou por mim e desapareceu. Achei que meus olhos estavam me pregando uma peça." Ela balançou a cabeça, quase mais pesarosa do que assustada. "O que pode ter sido?"

Janet deu de ombros. "Não sei." Então pensou na conversa inevitável que iria ter com o marido Jack naquela noite. "Jack vai nos fazer um monte de perguntas quando contarmos para ele."

Mary aquiesceu. Seu filho era muito inquisitivo e gostava de saber todos os detalhes. Ele fora assim quando criança e permanecera assim quando adulto, motivo pelo qual Janet achou que seria uma boa ideia que elas contassem uma para a outra exatamente o que tinham visto.

"Senti que, ao contar tudo o que nós duas tínhamos acabado de vivenciar, talvez pudéssemos ter uma ideia melhor do que estava acontecendo. Quando acabamos de conversar, todos os pelos dos meus braços estavam arrepiados. E vou te dizer por quê. Não foi por causa da forma escura. Foi porque, de repente, eu me dei conta de como coisas muito familiares — o sofá, a televisão e a cadeira de balanço de Mary, por exemplo — podem se tornar objetos muito ameaçadores. Nós nunca *olhamos* de verdade para o que está ao nosso redor até alguma coisa terrível acontecer, e então as coisas tomam formas e significados muito diferentes. Fiquei ali sentada e observei a neve cair do lado de fora da janela. Relanceei o olhar para a tela da TV onde eu costumava assistir a um jogo de beisebol ou ver o Dan Rather no noticiário, e logo tudo pareceu muito ameaçador de alguma maneira, como se eu não conseguisse confiar nos meus instintos sobre mais nada. Você acredita que o mundo é uma coisa e então você sente muito repentinamente que ele é bem diferente e que existem muitas coisas acontecendo que a gente não vê ou, pelo menos, não compreende. Eu não queria deixar Mary transtornada ao continuar falando sobre aquilo, então eu a agradeci por compartilhar suas experiências comigo e voltei para o meu lado da casa a fim de esperar pelo Jack, que costumava chegar por volta das 17h."

Quando chegaram da escola, as meninas mais velhas, Dawn e Kim, encontraram a mãe em um estado de espírito esquisito — retraída, de algum modo, e ansiosa. E protetora ao excesso, de uma maneira que elas não conseguiam entender, abraçando-as por nenhum motivo aparente, e até ficando com os olhos marejados enquanto o fazia.

"Mãe, você está bem?", perguntou Dawn.

"Estou bem", respondeu Janet Smurl. Mas ela disse isso rápido demais, e Dawn e Kim perceberam.

Em certo momento, Kim deu uma espiada no quarto dos pais e encontrou a mãe ajoelhada, um rosário entrelaçado nos dedos.

O relógio não poderia demorar mais para anunciar as 17h.

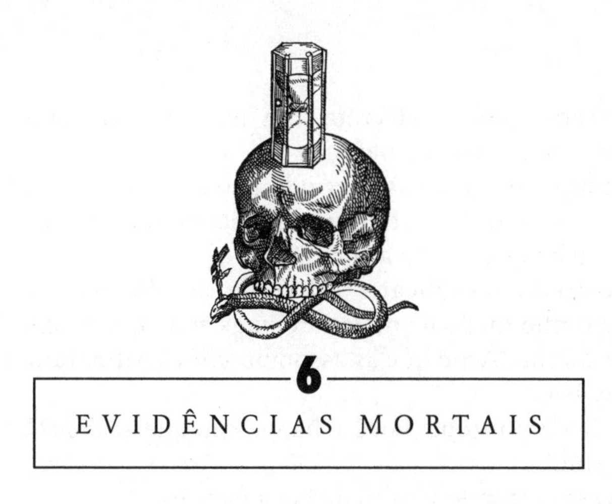

6
EVIDÊNCIAS MORTAIS

Durante várias semanas depois disso, pouquíssimas coisas desagradáveis aconteceram na residência dos Smurl.

Com certeza ainda havia aqueles "acidentes" menos importantes que poderiam, de um modo lógico, ser atribuídos a explicações naturais — luzes piscando ou uma ocasional porta batendo em um cômodo vazio —, mas Janet e Jack começaram a se desligar disso, e as crianças também.

As quatro meninas com certeza estavam cientes da tensão que os eventos curiosos dos últimos meses tinham exercido sobre seus pais. Jack, um homem muito gentil, começou a perder a paciência. Janet, geralmente descontraída, demonstrava ansiedade quando qualquer coisinha de sua rotina caseira saía dos eixos. (Entre os dois, eles até chegaram a se perguntar certa vez se as meninas poderiam estar pregando peças neles, o que explicaria alguns dos estranhos eventos. Mas quase de imediato rejeitaram a ideia, sabendo que mesmo que as meninas fossem travessas de vez em quando, elas não chateariam ou preocupariam os pais daquela maneira.)

Os Smurl ainda eram os pais fortes e carinhosos que sempre foram, mas era óbvio que estavam preocupados com o "visitante" e os outros incidentes relacionados.

Conforme o cinzento fevereiro se transformava no ensolarado março, um bom presságio para uma primavera precoce, Jack e Janet voltaram a agir como antes. Jack conseguiu sua promoção na fábrica, Janet recebeu um prêmio por todo seu trabalho com as Companheiras

Leão e as meninas se envolveram com inúmeras atividades atléticas, desde basquete até vôlei e natação.

Certa noite, durante esse período pacífico, Janet e Jack estavam acordados assistindo ao noticiário da noite quando a mulher perguntou: "Você acha que aquilo acabou?".

Ela não precisou explicar a Jack o que "aquilo" era.

"Quase tenho medo de dizer isso, mas acho que acabou", respondeu Jack e sorriu. "Acho que as assombrações arrumaram um quarto no Holiday Inn."

Séria, ela perguntou: "Você acha mesmo que acabou?".

"Acho, sim."

"E não está dizendo isso só da boca para fora?"

"Não estou dizendo isso só da boca para fora."

Naquela primavera, Kim Smurl fez 13 anos, a idade na qual as crianças católicas romanas são crismadas. A crisma é um processo por meio do qual o participante se torna ciente, de uma maneira adulta, das doutrinas e das responsabilidades de ser um bom católico. De muitas maneiras ele é parecido com o bar mitzvah da religião judaica.

A cerimônia foi marcada para uma noite no meio da semana, o que significa que houve muita correria pela casa. Janet Smurl preparou o jantar, passou o vestido branco que Kim usaria na crisma, conversou com Shannon sobre uma prova na qual ela tirara apenas um C e, por fim, encurralou Kim tempo suficiente para prender uma gola especial em seu novo vestido.

Isso foi na cozinha.

"Você sabe como as coisas são quando você está com pressa", conta Janet Smurl. "Kim e eu estávamos no meio da cozinha e Shannon estava em pé à direita, perto da geladeira. E foi aí que aconteceu."

Enquanto trabalhava no vestido da filha, um estrondoso barulho de algo rasgando, como se algo tivesse rompido através de uma parede, preencheu a cozinha.

Antes que houvesse tempo para se mexer, Janet olhou para cima na tentativa de ver o pesado lustre que tinham instalado sete anos antes, quando reformaram a casa, despencando entre crepitantes lampejos elétricos e pó farelento do teto.

Elas gritaram e tentaram sair do caminho do lustre. Janet e Kim tiveram sorte. Elas conseguiram se enfiar embaixo da mesa da cozinha.

Mas antes que Kim conseguisse puxar a irmã para a segurança, Shannon foi atingida no ombro pelo lustre de 1,20 m conforme ele se espatifava no chão.

Àquela altura, Jack, que estivera se arrumando no andar de cima, desceu correndo até a cozinha, assustado pelo que tinha ouvido. Kim e Shannon estavam chorando. Janet estava examinando Shannon para determinar a extensão do ferimento.

"Meu Deus", exclamou Jack Smurl, olhando para onde o lustre estivera. Ele sabia que o lustre tinha sido instalado de modo apropriado e aparafusado com firmeza, mas agora havia apenas um buraco irregular revelando o reboco branco e as entranhas de fios elétricos pretos que se curvavam como cobras grossas e pendiam expostos.

A mente de Janet estava concentrada no momento em que o lustre caíra a poucos centímetros da cabeça de Shannon. Se a menina tivesse sido atingida em cheio por ele, teria morrido.

Shannon poderia ter morrido...

Apressados, os Smurl prepararam as filhas para se amontoarem na van e seguirem para a crisma. Eles já estavam atrasados demais.

No caminho até a porta, as crianças seguindo à frente deles, Janet Smurl olhou para Jack. Palavras não foram necessárias para expressar o que ela estava sentindo.

O terror.

Jack a puxou para junto de si e a beijou com delicadeza na bochecha. "Vai ficar tudo bem, querida."

Aninhada junto a ele, fechou os olhos e se permitiu o luxo de estremecer. "Estou com muito medo."

A essa altura, Janet conhecia o suficiente a respeito do sobrenatural para saber que eventos e objetos santificados deixavam demônios nervosos.

E o que poderia ser *mais* santificado do que a crisma?

O olhar de Janet subiu até o buraco horrível onde o lustre estivera. Em voz alta, rezou para que o que quer que viesse a acontecer com ela e Jack, não ferisse as crianças.

Então ela sentiu também a centelha de um novo sentimento — o começo de um ódio gélido pela presença que estava enchendo sua casa e tentara machucar uma de suas filhas.

"Depois disso, nós passamos horas, dias, semanas, conversando com pessoas que poderiam ser capazes de nos ajudar, mas tenho que dizer que a maioria das pessoas para quem mencionamos isso assumiu uma atitude muito condescendente", ela lembra. "Por exemplo, eu liguei para diversas universidades por todo o país que tinham departamentos que lidavam com parapsicologia ou fenômenos paranormais. Mas, para minha surpresa, elas não foram de grande ajuda. Lembro de uma experiência particularmente ruim onde o professor, em um tom desdenhoso, me perguntou se eu assistia a muitos filmes de terror, insinuando que eu tinha me deixado levar pela minha imaginação. Eu simplesmente não pude acreditar."

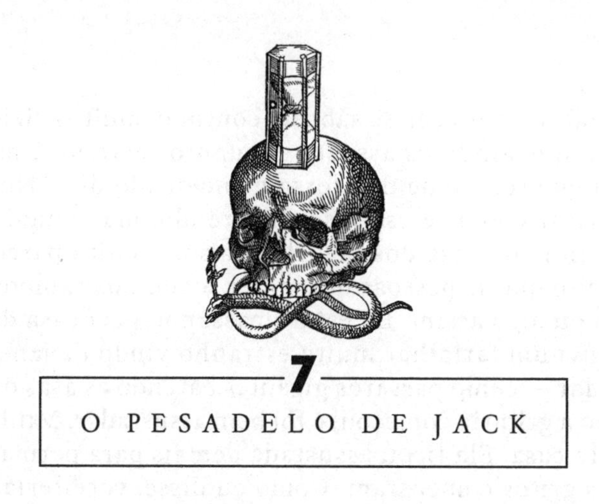

7
O PESADELO DE JACK

Perto do final de abril, Jack e Janet Smurl encheram o trailer com as crianças e diversos mantimentos e partiram para uma das áreas de acampamento onde, aos fins de semana, eles relaxavam e aproveitavam o tempo livre.

O clima primaveril tinha persistido ao longo do mês de abril, flores de macieira perfumavam o ar, a grama se estendia como um oceano verde aos pés das colinas ondulantes da região.

Depois de o lustre ter ferido Shannon, Jack e Janet começaram a enxergar as verdadeiras dimensões de seus problemas. Ainda que à época não acreditassem em assombrações em si, eles tinham passado a entender que alguma força anormal estava agindo entre as paredes de seu lar. O que era, ou o que a motivava, permanecia um mistério.

Tudo o que os Smurl sabiam era que naquele fim de semana ensolarado eles queriam fugir de suas garras, portanto seguiram para a área de acampamento.

A Chase Street é, no melhor sentido da palavra, uma vizinhança de verdade. As pessoas que vivem ali cuidam umas das outras. Quando uma família sai da cidade, os outros vizinhos mantêm uma vigilância mesmo que casual na residência vazia, certificando-se de que nada aconteça a ela.

No fim de semana em que os Smurl viajaram, diversos vizinhos verificaram a casa, viram que tudo parecia estar bem e então voltaram para os próprios lares.

Logo após o anoitecer de sábado, contudo, muitos vizinhos ouviram algo que ainda os assusta enquanto relatam. Um vizinho que pediu que seu nome não fosse mencionado diz: "Nunca ouvi alguém gritar como se estivesse morrendo, mas imagino que o som que vinha da casa dos Smurl deva soar muito parecido com isso. Do jeito que as pessoas devem ter soado nos campos de concentração ou algo assim. Eu estava passando pela casa dos Smurl quando ouvi um farfalhar muito estranho vindo da janela do segundo andar — como pássaros gigantes batendo as asas ou algo do tipo. Então a gritaria começou, e foi bem assustador. Minha esposa voltou para casa. Ela ficou assustada demais para permanecer ali quando os gritos começaram. Como eu disse, você teria pensado que alguém estava sendo morto a machadadas ou algo assim dentro daquela casa. Mas sabíamos que ela estava vazia, que os Smurl estavam viajando".

Essa foi a primeira vez que a vizinhança como um todo ficou ciente dos problemas que os Smurl estavam tendo com a casa.

Infelizmente, mais tarde muitos outros vizinhos compreenderiam isso bem demais.

Três das meninas precisavam de uniformes escolares. Elas estavam na idade em que pareciam espichar de tal maneira que todo o guarda-roupa ficava pequeno em um intervalo de seis meses.

Naquela noite, em um anoitecer quente de maio, Janet decidiu levar as quatro meninas ao shopping center Insalaco, perto da borda sul da cidade.

Jack, cansado depois de um dia de trabalho e sentindo que estava pegando uma gripe, disse que ficaria em casa e que provavelmente iria cedo para a cama.

Ele levou uma biografia em brochura de John Wayne para cima e se deitou. Eram 19h14. Ler provou ser a perfeita poção do sono, porque depois de apenas três páginas, o livro caiu em seu peito e Jack adormeceu de pronto.

Quando garoto, Jack costumava sonhar que estava caindo de prédios altos. Ele ainda conseguia se lembrar da sensação de estar suspenso no ar e então despencar na direção da calçada. Ele sempre despertava de um pulo, o coração batendo forte no peito.

Naquela noite ele teve a sensação de estar suspenso no ar, mas não de cair. Foi como se estivesse literalmente deitado nas correntes de ar, confortável e tranquilo.

Foi apenas aos poucos que Jack começou a se dar conta de que não estava, na verdade, sonhando.

Havia o barulho de carros passando lá fora na rua.

Havia o aroma de flores primaveris entrando pela janela aberta.

Havia a sensação das roupas contra sua pele.

De repente, ele abriu os olhos e viu que não estava dormindo de forma alguma. Estava levitando, deitado em perfeita imobilidade cerca de 60 cm acima da cama.

Sua primeira reação foi de pânico. Ele começou a se mexer, a se debater, tentando se sentar ereto ali em pleno ar. Foi então que a coisa o jogou de volta na cama.

Ele pulou da cama e parou com as mãos apertadas em punhos, gritando: "Apareça! Apareça!".

Mas havia apenas seu próprio coração martelando no peito. E o silêncio peculiar e zombeteiro.

Ele se tornara um brinquedo para a entidade à solta naquela casa, e naquele momento estava sentindo mais medo do que jamais sentira na vida.

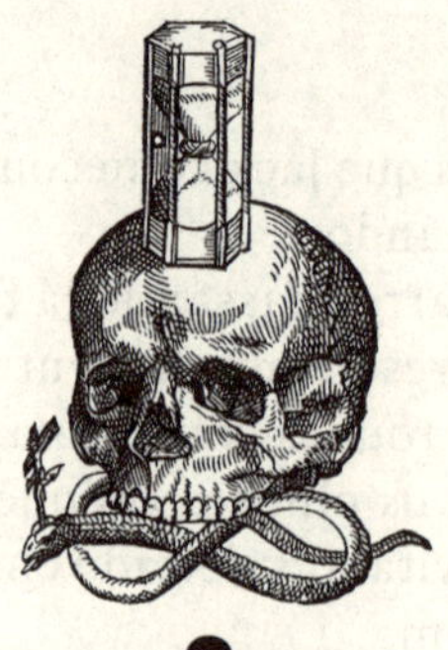

8
ENTREVISTA COM JACK SMURL

P: A essa altura você fazia alguma ideia de que as coisas iriam apenas piorar?

R: Na verdade, não. [*Pausa*] Olhe, sou um pai de família na casa dos 40 anos. Tive uma criação bastante normal. Quando era garoto, meu pai costumava nos levar para nadar e eu jogava basquete e frequentava o Grupo de Jovens Católicos, principalmente nas noites em que tinham bailes lá — [*risos*] sabe, um monte de discos do Elvis, Johnny Mathis e Nat "King" Cole. Então eu me alistei na marinha (naqueles dias você chamava um alistamento curto como o meu de "cruzeiro infantil"), depois saí, me casei e formei uma família.

P: Você está dizendo que não teve nada em sua criação que o preparou para isso?

R: Exato.

P: Então você não sabia o que pensar de tudo isso?

R: Não, e eu diria que a maioria das pessoas também não saberia. A primeira coisa que a pessoa comum faz é *rejeitar* a ideia de que está lidando com o sobrenatural. Todas essas coisas acontecem com você — coisas realmente incríveis —, mas sua mente fica procurando alguma explicação *normal*. Entende?

P: A essa altura você rejeitou a possibilidade de que estava lidando com o sobrenatural?

R: Não, não rejeitei a ideia. Eu só esperava que alguma outra explicação aparecesse. Mas é claro que quando me sentei e pensei de verdade nisso — formas escuras que atravessavam paredes e um lustre que caiu e quase matou minha filha — que outra explicação poderia haver?

P: Bem lá no fundo você sabia que estava lidando com o sobrenatural, mas continuou tentando negar?

R: É. Esse é um jeito bom de resumir. Foi todo esse processo de negação. Só que, conforme as coisas continuavam acontecendo, ficou cada vez mais difícil continuar dizendo que não era o sobrenatural. Porque não havia mais nenhuma explicação possível. Nenhuma.

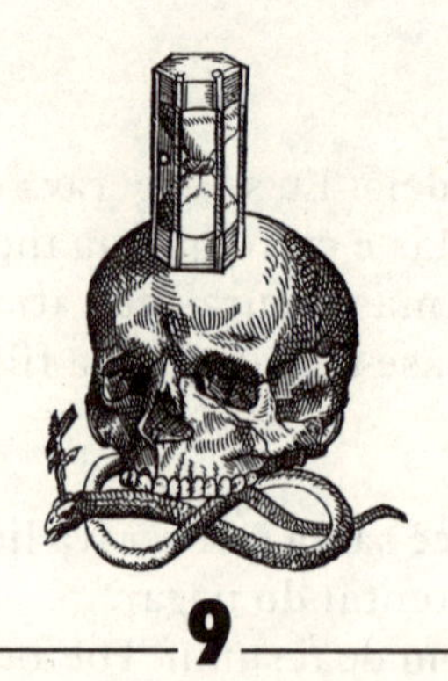

9

DECLARAÇÃO DE SHELLEY ADAMS, 23 ANOS

Eu morei a algumas casas de distância dos Smurl durante sete anos, e meus pais são dois dos melhores amigos de Janet e Jack.

Grande parte do nosso bairro se tornou ciente do que estava acontecendo na casa dos Smurl depois do fim de semana em que os gritos foram ouvidos por diversos moradores próximos dali. Depois disso, Janet e Jack foram muito mais francos ao discutirem com aqueles de nós que moravam ali perto os problemas que estavam tendo.

A princípio, admito que fiquei muito cética. Embora eu me considere uma pessoa religiosa, encaro muitas ocorrências ocultas e sobrenaturais como algum tipo de "truque" de pessoas querendo atenção ou a mente pregando peças em si mesma.

Mas já que tantas coisas estavam acontecendo com os Smurl, eu enxerguei a possibilidade de que eventos paranormais poderiam acontecer, mesmo ali no meu próprio quarteirão.

Quanto aos Smurl, todos nós podíamos ver a tensão que isso estava exercendo sobre eles. Às vezes, Janet e Jack discutiam um pouco, e nós nunca tínhamos visto isso antes; e de vez em quando Jack meio que perdia a paciência com as filhas, que eram seus xodós, então perder a paciência com elas era muito atípico.

Janet começou a se abrir muito com a minha mãe, e visto que eu ainda morava em casa, participei de muitas conversas.

De algum modo, apesar de eu acreditar que Janet acreditava em tudo que contava, eu ainda tinha minhas próprias reservas.

Acho que eu ainda estava procurando por algum tipo de explicação natural, muito embora, junto de grande parte dos outros vizinhos da Chase Street, eu estava começando a ver que algum tipo de explicação natural era extremamente improvável.

Certa tarde, depois do trabalho, eu cheguei em casa e encontrei minha mãe conversando com Janet a respeito da sogra dela, Mary, ter ouvido crianças rindo e correndo pela casa geminada que pertencia aos Smurl, embora nenhum deles estivesse em casa naquela hora.

Acho que isso me pareceu bem engraçado, por alguma razão, porque eu disse: "Não se preocupe, Janet, vou chamar os caça-fantasmas e pedir que eles se resolvam com os fantasmas da sua casa".

Pude perceber na hora que eu tinha envergonhado minha mãe e ferido os sentimentos de Janet. Eu pedi desculpas depressa e lhe disse: "Acho que isso não é engraçado, né?".

O bom humor de Janet voltou. "Talvez devêssemos fazer o que costumavam fazer nos filmes — sabe, oferecer um grande prêmio para passar uma noite em nossa casa. Depois disso você mudaria de opinião."

"Não acho que eu ficaria com medo", eu disse, confiante.

Com gentileza, Janet afirmou: "Acho que você mudaria de opinião, Shelley".

Tomamos café e comemos alguns cookies com gotas de chocolate caseiros para acompanhar enquanto conversávamos mais um pouco sobre as coisas estranhas que estiveram acontecendo na casa dos Smurl. Então deu a hora de Janet voltar para casa a fim de começar a preparar o jantar da família, e para minha mãe ir até sua aula de cerâmica, depois da qual ela encontraria meu pai em um restaurante.

Eu planejei ficar em casa e lavar a louça. Fiquei no topo da escada enquanto meus pais saíam. Meu pai fechou a porta da frente e a trancou. Eu liguei o aparelho de som e comecei a lavar a louça. Não tinham se passado nem cinco minutos quando a música — rock and roll — ficou tão alta que machucou meus ouvidos. Fui até o rádio e abaixei o volume, supondo que tivesse havido um curto-circuito nos fios.

Quando me virei, a porta da frente estava aberta uns cinco ou seis centímetros. Andei até lá e vi que a tranca ainda estava no lugar.

A presença ou entidade sobre a qual Janet estivera falando ao longo daqueles últimos meses estava agora em nossa casa também. Eu podia senti-la e percebê-la no ar, que tinha uma textura estranha e diferente, de algum modo, do que costumava ser.

E tudo o que eu conseguia pensar era que Janet tinha trazido "a coisa" com ela. Então eu fiz algo que não deveria ter feito. Fui até o telefone, em lágrimas e em pânico, e liguei para Janet. Eu podia ouvir minha própria voz — e embora eu quisesse me impedir de dizer palavras tão cruéis, eu não consegui.

"Você trouxe a coisa com você! Ela está em *nossa* casa agora!", gritei. "Não quero que você venha mais aqui, Janet."

Todo o meu corpo tremia e eu chorava de medo e confusão.

Felizmente, Janet e eu continuamos a ser amigas porque ela entendeu o que eu estava passando. Ela entendeu que o pavor nos faz dizer coisas terríveis às pessoas.

Logo depois de a entidade ter preenchido a minha própria sala de estar, houve outro período de calmaria na casa dos Smurl. Era possível ver Janet e Jack voltando a ficar mais tranquilos, e era possível ver isso nas garotas também, que antes estavam sob muita tensão.

Quando os vizinhos conversavam agora, era com otimismo. Talvez o que tivesse acontecido com os Smurl estivesse chegando ao fim. Talvez nós tivéssemos deixado o pior para trás, e eu digo "nós" porque quase todo o quarteirão estava envolvido, testemunhando eventos estranhos ou tentando consolar e ajudar os Smurl em sua provação.

Mas estávamos errados.

Esse não era o fim, era apenas o começo.

10
NOITE VIOLENTA

Em uma noite de junho de 1985, logo depois de ter feito amor com o marido, Janet Smurl foi arrancada da cama por alguma fúria invisível e arrastada pelo chão.

"Lembro apenas do som dos meus próprios gritos. Em um momento eu estava deitada nos braços de Jack e, no minuto seguinte, alguma coisa que eu não conseguia ver tinha agarrado minha perna direita", lembra.

"Foi como um cabo de guerra. Eu estava me segurando a ela o mais forte que conseguia, porque eu não fazia ideia do que a coisa queria fazer com ela", diz Jack. "Mas quanto mais eu lutava para mantê-la perto de mim, mais forte a coisa a puxava." De repente, Jack ficou paralisado. "Literalmente", diz ele, "eu não conseguia me mexer. Alguma coisa tinha tomado conta de mim. Eu não conseguia nem xingar a coisa. Eu fiquei imobilizado."

"Eu me segurei ao Jack e às roupas de cama — era como se estivesse me agarrando à vida na beirada de um precipício. Eu nunca tinha me sentido tão vulnerável, exposta como estava, em toda a minha vida. Eu só fiquei pedindo ajuda aos gritos. Mas de alguma maneira eu consegui me manter na cama", diz Janet.

Com medo de considerar o que poderia acontecer a ela em seguida, Janet ficou surpresa ao descobrir que a força invisível a soltou de repente.

Ela se lembra com horror. "Senti a pressão deixar minha perna. E depois vi o Jack começar a se mexer de novo. Ele esticou a mão para mim e eu a toquei. E foi então que as batidas começaram."

Por mais de um ano os Smurl tinham ouvido batidas e pancadas dentro das paredes, como se um exército de demônios estivesse enfurecido. Mas nunca fora tão alto quanto naquela noite.

Então veio o odor, fétido como o lixão de alguma cidade em um dia escaldante, mas duas vezes mais opressivo.

"Eu comecei a engasgar, literalmente. E mal conseguia respirar. Eu nunca tinha sido tão subjugada por um cheiro daquele jeito antes", diz ela.

Jack se lembra de mais detalhes. "O barulho e o cheiro começaram a me fazer sentir como se estivesse perdendo a cabeça de verdade. Eu fiquei tonto e enjoado e senti uma dor de cabeça latejante. De alguma maneira, consegui segurar a mão da Janet e saímos de lá. Foi como tentar escapar de um prédio em chamas, só que nesse caso as chamas e a fumaça eram invisíveis."

As batidas nas paredes continuaram. Como se a entidade que tomara conta da casa quisesse provar seu domínio e ridicularizá-los.

Durante os próximos dias, Janet ficou taciturna e quieta, o que não era de seu feitio.

Um sentimento de pavor a preenchera e, independentemente do que fizesse, ela não conseguia se livrar dele, nem mesmo quando pensava em sua juventude relativamente despreocupada.

Quando menina, Janet gostava de fazer caminhadas solitárias pelo interior, de andar de patins e de nadar, e passava muitas horas agradáveis em seu quarto lendo dúzias de romances, dentre eles a séries de Nancy Drew e dos Gêmeos Bobbsey.

Mais tarde, no ensino médio, seu gosto literário mudou para os best-sellers e incidentes baseados em histórias reais. Foi nessa época que ela realmente floresceu, tornando-se *majorette* — uma dançarina com um bastão que desfila diante de uma banda marcial — e membro do coral.

Ela guardava lembranças afetuosas da época que se seguiu ao ensino médio, seu namoro com Jack e os primeiros anos de casada. Nem mesmo Carin ter nascido com vértebras malformadas (e praticamente entrando e saindo do hospital todos os meses, a princípio) tinha minado suas forças como os eventos estranhos na Chase Street.

Janet começou a pensar no seu passado. "Sabe como tudo parece muito melhor em retrospecto, tão mais fácil? Acho que foi isso que me assustava e me deixava tão deprimida. Eu sentia que minha família estava sendo ameaçada por alguma coisa que não conseguíamos compreender, menos ainda enfrentar. Foi muito desencorajador."

Desde a infância, Janet fora uma grande fã de seriados de comédia — tudo desde *Abbott e Costello* a *A Ilha dos Birutas* de antigamente, a *Mary Tyler Moore* e *Bob Newhart* em tempos mais recentes — e, portanto, ao longo dos dias seguintes, tentou passar o maior tempo possível diante da TV, esperando que isso a deixasse em um estado de espírito melhor.

Mas nenhum de seus antigos companheiros ajudou.

Havia apenas os céus cinzentos e aquela terrível sensação de que estavam presos em algo do qual nunca conseguiriam escapar.

Dando continuidade à sua busca incansável por ajuda, Janet fez duas coisas durante esse período. Ela entrou em contato com a distribuidora de energia elétrica para ver se eles poderiam explicar por que as luzes ficavam acendendo e apagando, e escreveu uma carta ao *Channel 16* detalhando o que estava acontecendo na residência dos Smurl.

O homem da distribuidora de energia elétrica que foi até lá e verificou tudo disse que a casa tivera a fiação trocada poucos anos antes e que havia um bom número de circuitos. Não havia motivo algum para as luzes acenderem e apagarem como ela relatava.

E quanto à emissora de televisão, não houve nenhuma resposta. Janet voltou a se entregar a um de seus estados de isolamento.

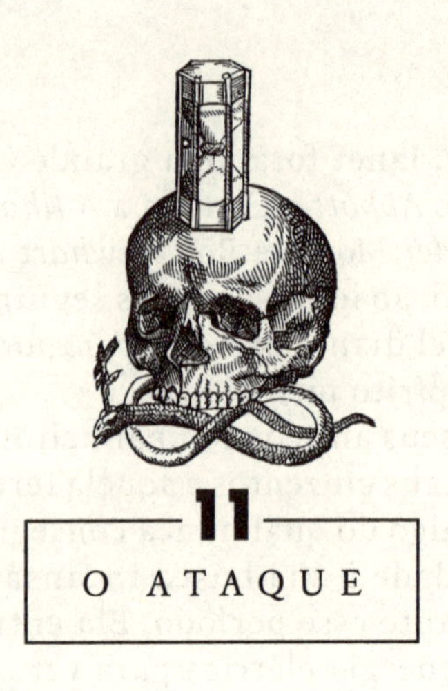

11
O ATAQUE

Os psicólogos sabem que o estresse pode destruir a vida familiar. O aumento na taxa nacional de divórcio atesta o quanto isso está certo: nos dias de hoje, 50% dos casamentos norte-americanos terminam em divórcio.

Imagine então o estresse que Janet e Jack Smurl e sua família enfrentaram enquanto as forças invisíveis que tinham tomado conta de seu lar conspiravam para destruí-lo.

Após aquela noite aterrorizante na qual Janet fora arrancada da cama por mãos invisíveis, sucederam-se inúmeras semanas que testaram a própria fundação da família Smurl.

"Havia períodos em que ficava óbvio que estávamos envolvidos em alguma luta verdadeira contra os poderes que estavam tentando dominar nossa casa. Criamos o hábito de chamá-los de 'a coisa'. Não conhecíamos nenhum outro nome que fosse apropriado", comenta Janet.

"Um dia eu fiquei tão cansada de ficar com medo que acabei ficando brava. Comecei a gritar mandando que a coisa saísse da minha casa e parasse de intimidar minha família. Suponho que devo ter parecido muito estranha, parada ali gritando com algo que eu nem conseguia ver. Este foi o dia depois de Jack ter tido sua medalha de São Judas retirada de seu pescoço enquanto dormia. Ela não tem fecho, então só pode ter sido removida pela cabeça. Sentimos que isso foi apenas o espírito tentando nos mostrar sua superioridade outra vez — provando que era nosso mestre. O dia seguinte se mostraria o pior até então, porque foi quando a coisa foi atrás do Simon."

AMIGO DA FAMÍLIA

Simon é um cachorro grande e amigável que está com a família Smurl desde que era filhote. Ele é a prova de que nem todos os pastores-alemães são violentos. Cada uma das crianças tem uma lembrança favorita de Simon, alguma historinha bonitinha sobre o cachorro feliz e protetor conforme ele crescia para se tornar um membro integral da família.

Foi a natureza gentil do cachorro que fez com que o ocorrido na manhã de uma terça-feira fosse tão exasperante.

Janet estava na cozinha lavando a louça, Simon esparramado aos seus pés, quando de repente ela o viu ser erguido do chão por mãos invisíveis e lançado contra a porta. O cachorro uivou de dor ao cair no chão.

Janet acudiu, abraçando-o, tentando protegê-lo contra mais ataques. O animal tremia e gania em seus braços.

Mas não era só isso que a coisa tinha em mente para Simon.

Pouco depois, Janet estava sozinha outra vez na cozinha com Simon, quando o viu se curvar e ganir de dor. Seu corpo então foi acometido por contorções convulsivas, como se estivesse sendo açoitado. Os gemidos espasmódicos do animal enchiam os ouvidos de Janet de dor, porque ela era incapaz de ajudar o cachorro.

Mais uma vez, tudo que podia fazer era se agachar ao lado de Simon e abraçá-lo, e deste modo manter o mal à distância.

O FILHOTE FANTASMA

O cachorro que alguns dias depois surgiu nas vidas de Mary e John Smurl, do outro lado da casa geminada, era tudo menos um amigo da família.

À noite, o casal idoso gostava de fazer lanchinhos e assistir à televisão. Naquela noite, contudo, Mary estava sozinha na sala de estar. John consertava um eletrodoméstico na cozinha.

Absorta no programa, Mary notou a aparição estranha apenas pela visão periférica. Então sua cabeça virou de súbito e ela sentiu a boca se escancarar.

Um filhote sem cabeça nem rabo atravessou correndo a sala e se enfiou embaixo do sofá de dois lugares.

Mary correu para contar ao marido. De imediato, ele chamou Jack para ajudá-lo a procurar o filhote fantasma. A busca não deu em nada. O filhote não estava em lugar nenhum. Jack mediu o espaço entre o sofá e o chão — 1,5 cm.

"Nenhum filhote conseguiria entrar aqui embaixo, mãe."

"Nenhum filhote *de verdade*", disse Mary, com um calafrio a correr pela espinha. Então lembrou de um comentário que fizera mais cedo naquela noite. "Lembra que eu disse que os incidentes estiveram diminuindo?", lançou ao marido.

John Smurl aquiesceu.

"Aposto que esse foi o jeito de a coisa provar que eu estava errada", disse Mary.

Tanto o marido quanto o filho acreditavam que ela estava certa. As forças na casa pareciam se deleitar ao atormentá-los.

AS CRIANÇAS

Janet e Jack sabiam que, por mais que a assombração os tivesse colocado sob estresse, eram as crianças que realmente sofriam.

Você é uma garota normal e gentil. Você gosta da escola, de esportes, de música e da vida com sua família. Você sente orgulho dos seus pais e do tipo de pessoas que eles são, e sente orgulho pelo papel que representam na comunidade.

Mas, ao longo de um período de menos de dois anos, sua vida passa de dias ensolarados de uma infância comum a dias escuros e taciturnos com eventos muito perturbadores.

Será que a maioria das crianças chega a ter que encarar o espetáculo de panelas e frigideiras que voam pelo ar por vontade própria?

Será que a maioria das crianças chega a ser forçada a assistir seus travesseiros sendo esmurrados com violência por mãos invisíveis?

Será que a maioria das crianças chega a ser forçada a ouvir algo arranhando o interior das paredes?

A resposta, obviamente, é não.

Ainda assim, as filhas dos Smurl eram submetidas a aterrorizantes fenômenos sobrenaturais todos os dias.

"Um dia eu realmente perdi a paciência", confessou Janet. "Carin tinha sido incomodada por um ruído farfalhante em seu quarto — o barulho de pássaros enormes alçando voo —, e isso a assustou tanto que ela correu para o andar de baixo direto para os meus braços.

Depois que eu a consolei, subi a escada correndo, entrei no quarto das gêmeas e fiz uma ameaça de verdade: 'Deixe minhas filhas em paz, droga!', eu gritei. Não houve mais nenhum barulho nesse dia."

As crianças conversavam entre si, é claro, a respeito dos eventos que afligiam sua casa.

Dawn disse que dava para se acostumar com algumas coisas. "Mas com algumas outras não dava. O barulho de asas farfalhando, por exemplo, é incrível. Você fica com essa imagem de pássaros gigantes levantando voo. Um dia nós ouvimos esse barulho na chaminé. Meu pai pediu para Kim ir para fora e olhar para o telhado. Ela não viu nada, mas ainda conseguíamos ouvir o farfalhar, como alguma coisa tentando abrir caminho até o sótão aos arranhões. Foi horrível."

"Uma coisa que aprendemos foi a importância da oração", diz Kim. "Muitas vezes era bastante difícil não ceder ao desespero — ou apenas sair correndo da casa chorando —, mas sempre descobríamos que a oração conseguia nos acalmar e evitar que ficássemos confusas e transtornadas do jeito que os espíritos queriam que ficássemos. Sabíamos que a coisa queria nos separar, mas não iríamos deixar."

Não importava o quanto a determinação dos Smurl fosse forte, havia momentos em que nenhuma fé parecia ser suficiente para suportar as investidas demoníacas.

A QUEDA DE SHANNON

Como sua irmã gêmea Carin, Shannon Smurl sempre demonstrara habilidades criativas que estavam além da sua idade. Quando ela colocava o giz de cera no livro de colorir, por exemplo, seu trabalho era impecável. Ela também levava jeito para a poesia e tinha talento para o canto.

Shannon, de 8 anos, dormia no beliche acima da irmã. Em uma noite de quinta-feira, durante o começo do cerco, ela, como sempre, foi colocada na cama pelos pais e logo pegou no sono.

Algumas horas depois, Jack e Janet foram para cama. Eles dormiram por menos de meia hora e foram acordados pelo estrondo alto de uma pancada, como se algo muito pesado tivesse sido jogado do topo da escada para o patamar abaixo.

Assustados, ouviram Shannon gritar na escuridão.

O casal correu frenético escada abaixo, e encontrou a filha jogada em um canto.

"Querida", disse Janet depois de constatarem que Shannon estava bem fisicamente. "Você tropeçou na escada?"

Jack pensou que isso era impossível. Tanto ele quanto a esposa tinham o sono leve. Eles teriam ouvido os passos de Shannon fazendo barulho no chão antigo.

"Eu não sei, eu não sei", respondeu Shannon, chorando baixinho.

Eles a colocaram de volta na cama, rezaram ao seu lado e depois deram uma olhada nas outras crianças. Estavam todas bem.

De volta ao próprio quarto, Janet disse: "Não consigo mais aguentar isso, Jack. Precisamos encontrar alguma ajuda".

Jack concordou. Ele estivera desconfiado de "ocultistas" devido à tendência de serem charlatães, mas agora sabia que algo precisava ser feito.

Sua mente foi tomada por uma imagem de Shannon jogada escada abaixo, esparramada aos pés da escada como uma boneca quebrada.

Ele não tinha dúvida quanto ao responsável por aquilo. Nem do motivo. Mais uma vez, a coisa queria provar seu domínio.

Mas Jack e Janet Smurl tinham ideias muito diferentes em mente. De manhã, a procura por orientação recomeçou com mais determinação.

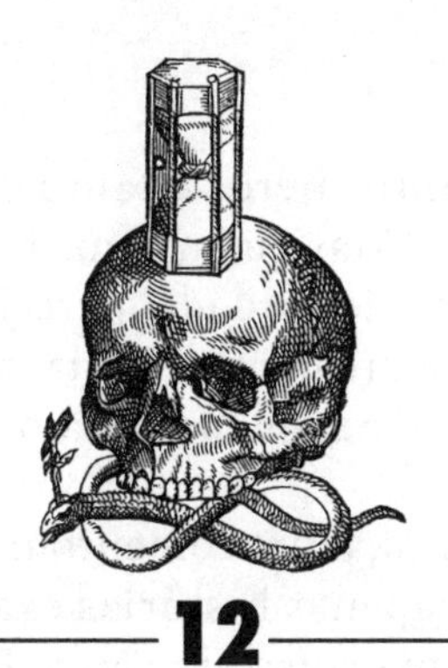

12
A BUSCA POR AJUDA

A vizinhança em geral estava bem ciente do que estava acontecendo na casa geminada dos Smurl.

A maioria dos vizinhos era prestativa. "Apesar de não entenderem realmente o que estava acontecendo — e nem a gente, é claro —, eles foram muito solidários com nossa família", disse Janet.

"Esse é um jeito de descobrir quem são seus amigos de verdade", acredita Jack. "Com certeza tivemos vizinhos céticos, sobretudo no começo, e alguns que deram indícios de que iriam gostar se nos mudássemos, mas, em geral, os vizinhos conversavam conosco sobre isso e tentavam aceitar aquilo de alguma maneira."

Por mais compreensivas que as pessoas fossem, porém, restava o fato de que a casa geminada dos Smurl permanecia sob cerco.

Ocorrências tão variadas quanto o sibilar de cobras invisíveis amedrontando as crianças, passos pesados pelo sótão e colchas sendo retalhadas como se por uma fera com garras continuaram fazendo com que a casa geminada fosse uma zona de habitação perigosa.

A BIBLIOTECA

No decorrer do cerco, Janet Smurl decidiu que precisava se tornar a maior especialista possível no sobrenatural.

Diariamente, qualquer que fosse o clima, o que quer que tivesse que fazer, ela ia à biblioteca local.

"Eles não tinham tantos livros quanto eu gostaria a respeito do sobrenatural", riu Janet. "Mas quem é que teria? Quando você começa a investigar o assunto de verdade, percebe que mesmo existindo um monte de material sobre demonologia, não vamos encontrar nenhum tipo de explicação adequada para o que estava acontecendo com a minha família."

Quanto aos livros em si, Janet comentou: "Alguns deles eram muito sérios. Outros eram apenas histórias exageradas e não foram de nenhuma ajuda. Mas uma coisa era certa. Eu descobri bem depressa que não éramos as únicas pessoas que já tinham sido afligidas por demônios. Havia diversos livros que documentavam infestações parecidas com a nossa".

A família inteira sentiu-se reconfortada pelas leituras de Janet. "Saber que outras pessoas tinham passado pela mesma coisa e sobrevivido nos encorajou. Jack chegou a brincar em certo momento dizendo que talvez deveríamos formar algum tipo de clube. Isso foi uma coisa que a imprensa distorceu mais tarde." Durante a maioria dos dias e das noites, por piores que às vezes ficassem, nossa família mantinha a fé e o bom humor. Ríamos de muitos dos incidentes." Então Janet fez uma pausa. "É claro que alguns deles eram assustadores demais para acharmos graça."

Neste ponto, Janet balança a cabeça com seriedade. "Durante a parte mais intensa das minhas visitas à biblioteca, uma névoa muito estranha preencheu metade do nosso quarto certa noite. Eu acordei e a vi. Tentei acordar Jack, mas não consegui. Descobrimos mais tarde que ele estava em um profundo 'sono psíquico', acho que a coisa o tinha colocado assim. A névoa se estendia como um tipo de membrana da nossa cama até a janela. Ao luar, ela possuía uma aparência muito fantasmagórica."

Ela relata também que, algumas noites depois, a mesma coisa voltou a acontecer na casa. "Mas dessa vez eu consegui acordar o Jack. Nós observamos a névoa rodopiar e assumir uma forma muito esquisita e, de repente, percebemos que ela havia se erguido na figura de uma pessoa. Depois ela entrou depressa no closet e desapareceu."

Janet não encontrou nenhuma referência àquele tipo de névoa em nenhum dos livros que leu.

Ela não dormiu bem por muitas noites.

DOIS PADRES

Durante a pior parte do cerco, dois padres foram convidados à casa geminada dos Smurl.

O padre Sean Malone, um amigo de longa data da família, veio para o jantar certa noite, e os Smurl lhe contaram sobre os problemas que estavam enfrentando.

Ficaram aliviados ao descobrir que o amigo levou suas palavras a sério.

"O padre Malone foi ao andar de cima e depois nos contou que percebeu que estava na presença de alguma coisa maligna", relembra Janet. "Ele disse: 'Vocês são pessoas gentis, normais, e isso não deveria estar acontecendo com vocês'."

Enquanto o padre falava, Janet podia ver que ele tinha começado a suar e estava ficando muito nervoso. "Tivemos a impressão que a presença estava pressionando o padre Malone para que ele deixasse a nossa casa."

Todavia, o padre andou pelo local, abençoando cada cômodo e ordenando que o demônio "deixasse aquelas pessoas em paz!".

Em certo momento, a pressão sobre o padre se tornou tão forte, e ele parecia tão abalado, que Janet e Jack temeram que ele pudesse desmaiar. Mas o padre Malone terminou bravamente a bênção, então tomou um café na cozinha com o casal e foi embora.

Para sua surpresa e deleite, os Smurl descobriram que ao longo dos três dias que se seguiram à bênção, seu lar não foi perturbado pelo demônio.

Algumas semanas depois, o demônio tentava mais uma vez dominar os Smurl, e o casal pediu ao monsenhor Hugh Byrne que fosse abençoar a casa geminada.

Isso se deu após um incidente especialmente perturbador no qual Mary Smurl, cuja saúde seguia ruim, se viu ser erguida, junto do colchão, tão alto que ela foi forçada a pular da cama que levitava, escoriando gravemente os joelhos. Seu marido, que estava fora jogando baralho, ficou zangado quando Mary relatou a história e ajudou Jack e Mary a chegarem à decisão de chamar o monsenhor.

"Como o padre Malone, o monsenhor andou pela casa e abençoou cada cômodo com água benta. Outra vez, estávamos lidando com um homem que acreditava com toda certeza no que lhe contamos. Descobrimos depois que nem todos os oficiais da igreja seriam tão cooperativos", comenta Janet.

Mais uma vez, eles descobriram que a bênção na casa manteve o demônio longe por vários dias.

Infelizmente, seu retorno foi assinalado quando as portas dos armários começaram a abrir e fechar deliberadamente com grandes estrondos.

O DIÁRIO

Janet encontrou uma quantidade surpreendente de pessoas solidárias com as quais poderia discutir seu problema. Uma dessas pessoas era um pesquisador universitário que passara a maior parte da vida investigando o paranormal. Ele sugeriu que os Smurl fizessem anotações sobre tudo em um diário. A família tratou de seguir o conselho.

"O diário nos proporcionou um registro. Ele também nos mostrou certos padrões, coisas que fazíamos que traziam a coisa de volta. Descobrimos, por exemplo, que se estávamos chateados com alguma coisa, a entidade sugava energia de nós e a usava contra nós. Então tentamos com muito afinco ficar calmos", pondera Jack.

"Foi durante esse período que conversamos pela primeira vez sobre irmos a público, de talvez ligar para uma emissora de TV local", relembra Janet. "Mas então pensamos: 'Se fôssemos a público, as pessoas pensariam que éramos loucos ou que estávamos inventando tudo'."

Felizmente, foi nessa época que Janet recebeu uma das ligações telefônicas mais importantes de sua vida.

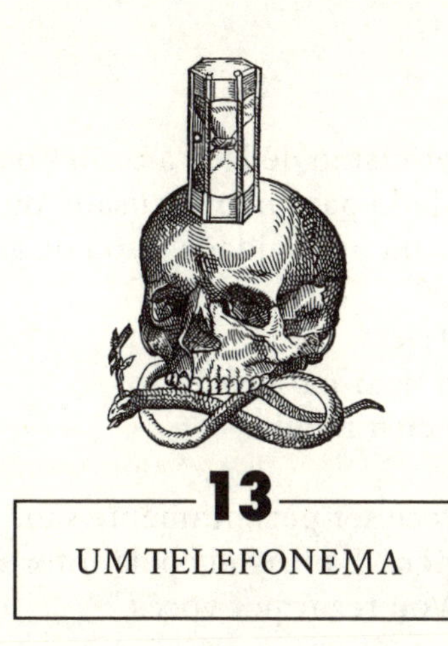

13
UM TELEFONEMA

Janet gostava de ficar na cozinha ensolarada. Embora coisas estranhas tivessem acontecido em plena luz do dia, ainda assim havia algo reconfortante em como os raios dourados banhavam os eletrodomésticos imaculados e o chão limpo e, também, se prendiam nas cortinas brancas engomadas.

Era janeiro de 1986, e a temperatura baixa no lado de fora apenas fazia Janet sentir-se mais segura no lado de dentro.

Ela fizera um intervalo nas tarefas domésticas e estava sentada na cozinha tomando uma xícara de café e fumando um cigarro, quando o telefone tocou.

Era uma amiga de fora da cidade, Tricia Larson.

"Oi, Janet, como estão as coisas?"

"Ah, você sabe, o de sempre", riu Janet. "Panelas e frigideiras voando pelos ares e demônios se escondendo no nosso porão."

Tricia riu com prazer. Janet segredara quase tudo com ela ao longo do ano anterior. Tricia não tinha nenhum problema em acreditar nas histórias de Janet, porque sempre tivera um interesse no oculto e sobrenatural.

"Eu posso ter boas notícias para você."

"Ed McMahon vai nos mandar dez milhões de dólares?"

"Melhor ainda."

"Sério?"

"Sério. Eu estava lendo um artigo ontem à noite sobre um professor da Marywood College em Scranton. Ele tem bastante conhecimento sobre o que o artigo chama de 'infestação demoníaca'. Talvez ele possa te ajudar."

Janet pensou no ceticismo de Jack a respeito de tais pessoas. Era preciso ter muito cuidado para não ser usado ou explorado por pessoas atrás de dinheiro ou publicidade — ou de ambos.

"Ele é um professor?"

"Sim", respondeu Tricia.

"Acho que eu devia ligar para ele."

"Com certeza, não custa nada."

"Ele não parece..."

Tricia riu. "Ele parece ser perfeitamente são."

"Vou fazer isso, Tricia. E obrigada pela informação."

"Boa sorte, Janet. Vou rezar por vocês."

Praticamente todos os dias Janet lia a respeito de infestações demoníacas. Praticamente todos os dias Janet procurava ajuda para ela e para a família ao fazer perguntas àqueles que supostamente eram versados em tais assuntos.

Enfim um pouco de sorte surgiu em seu caminho quando o mesmo professor local lhe contou a respeito de um casal chamado Ed e Lorraine Warren.

"Eles são pesquisadores psíquicos profissionais", contou o professor. "Já foram até contratados pelo Exército dos Estados Unidos."

"É mesmo?"

Janet se sentiu entusiasmada e assustada ao mesmo tempo. Essas pessoas pareciam ser perfeitas, mas será que ajudariam os Smurl?

"Você acha que eles nos darão ouvidos?"

"Ah, tenho certeza que sim. Mas eles costumam ser bem ocupados, são bastante procurados, e outra coisa é que antes de assumirem um caso, eles não medem esforços para autenticá-lo."

Janet sorriu. "Se passarem uma hora em nossa casa, eles saberão que não estamos tentando enganar ninguém."

"Tenho certeza de que esse é o caso. Gostaria do número deles?"

"Ah, com certeza. Com certeza."

Ele lhe passou o número.

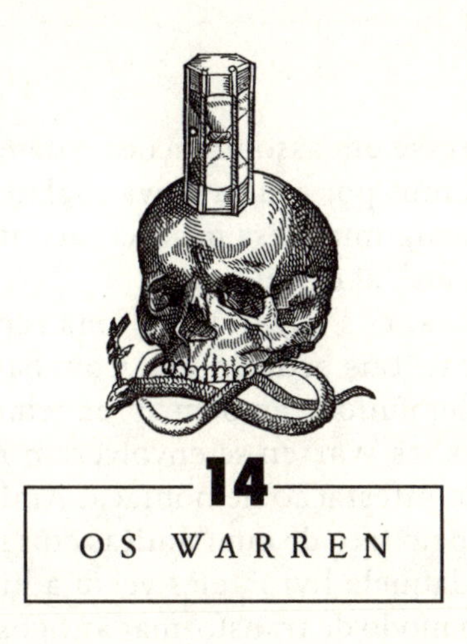

14
OS WARREN

Como demonologistas, pessoas que dedicam suas vidas ao estudo de manifestações e infestações demoníacas, Ed e Lorraine Warren são inigualáveis.

Hoje na casa dos 60 anos, eles estão casados há mais de quarenta anos. Ed é atualmente diretor da New England Society for Psychic Research. Seu interesse no assunto remonta à época em que a casa na qual foi criado se mostrou ser assombrada. Quando criança, testemunhou aparições e objetos voando pela casa.

A experiência de Lorraine com o paranormal também começou em uma idade precoce. Quando menina, via luzes em volta das cabeças das pessoas. Mais tarde, ela passou a entender que essas luzes eram auras. Ela teve uma experiência parecida quando conheceu Ed: “Na noite em que fui apresentada a ele, eu vi um jovem atlético de 16 anos diante de mim, mas então avancei no tempo, vislumbrei o futuro, e vi um homem mais pesado e grisalho, e soube que esse era o Ed em tempos futuros. Também soube que eu iria passar a vida inteira com ele”.

Ed e Lorraine se conheceram durante a Segunda Guerra Mundial. Ed frequentou a escola de arte, enquanto Lorraine era uma artista autodidata. Eles se casaram durante a guerra em uma das licenças de Ed. A filha deles, Judy, nasceu enquanto Ed ainda servia no exército. Mais tarde, viajaram pelo interior em um Chevrolet Daisy 1933 com um pastor-alemão no banco de trás. Eles se sustentavam vendendo suas pinturas. “Gostamos de nos considerar os primeiros hippies”, disse Ed, bem-humorado.

"Mas nosso interesse em assombrações e demonologia permaneceu constante. Viajamos por toda a Nova Inglaterra. Sempre que ficávamos sabendo de alguma coisa peculiar acontecendo, dirigíamos até lá e investigávamos", acrescentou.

"Ao longo dos anos, nós angariamos uma reputação como estudantes muito sérios de tais ocorrências. Com base em todas as nossas exposições aos demônios, também aprendemos a lidar com eles."

Em anos recentes, os Warren se envolveram no que talvez seja o caso mais célebre de infestação demoníaca: Amityville. Embora expressem desagrado pelo fato de que "muitas coisas foram exageradas e deixadas de fora daquele livro", eles veem a história dos Lutz em Amityville como um modo de transformar antigos céticos em crentes.

Os Warren trabalham apenas com clérigos ordenados na tentativa de expulsar demônios de casas. "Trabalhamos com todas as denominações, de padres a rabinos a ministros, e até mesmo muçulmanos."

Três livros foram escritos sobre o trabalho dos Warren — *Ed & Lorraine Warren: Demonologistas* e *The Devil in Connecticut*, de Gerald Brittle, e *Deliver Us from Evil*, de Gerald Sawyer. Além disso, centenas de artigos e dois programas de TV próprios trouxeram à dupla a atenção do público. Alguns anos atrás, a NBC produziu um filme para a TV baseado em um dos casos documentados. Até mesmo o mundo acadêmico chegou a atraí-los, levando Ed e Lorraine a lecionar na Southern Connecticut State University.

"Temos uma única mensagem que queremos transmitir para as pessoas — que existe um submundo demoníaco e que, em algumas ocasiões, ele pode ser um problema aterrorizante para as pessoas", contou Lorraine recentemente para uma plateia universitária.

Um de seus trabalhos mais notáveis veio quando um general de West Point pediu que fossem até lá e lidassem com uma assombração que abalara de maneira terrível muitos cadetes do local, em 1973.

Os Smurl não poderiam obter nenhuma ajuda melhor do que esse time dedicado de demonologistas.

ED WARREN

O dia em que dirigimos de Monroe, Connecticut, para a casa dos Smurl em West Pittston estava nublado, com nuvens escuras e pesadas amontoadas baixo no horizonte. Costumamos dirigir nossa van e foi o que fizemos naquele dia, as rajadas de vento nos açoitando na Interestadual 84 e empurrando a van de lado ao longo de grandes trechos de concreto. Lembro de Diane Hayes, que é uma vidente e bibliotecária, membro da nossa equipe de pesquisa, se inclinando para frente e rindo sobre como a van estava sendo arremessada para os lados. "Eu devia ter colocado meu capacete de proteção hoje."

Estacionamos na frente da casa dos Smurl por volta das 13h30 daquela tarde e ficamos ali sentados só olhando para ela. Quando você já investigou mais de três mil casos sobrenaturais nos Estados Unidos e Europa, você detecta uma certa vibração das casas mesmo do exterior.

Portanto, ficamos sentados enquanto os carros passavam, as pessoas andavam apressadas, encolhidas em seus casacos de inverno a fim de se protegerem do vento cortante, e observamos a casa geminada por algum tempo. No caminho até lá, discutimos sobre nossas conversas telefônicas com os Smurl e tínhamos praticamente pressentido que havia sinais ali de uma assombração grave. Pelo menos pressentimos que seus telefonemas precisavam de uma investigação séria.

Naquele momento eu olhei para minha esposa e para Diane.

"Estão captando alguma coisa?"

"Nada especial", respondeu Lorraine. Ela é uma médium sensitiva com fortes poderes de clarividência e PES.

"Diane?"

"Eu também não."

"Tudo bem. Vamos entrar, então."

A família que nos cumprimentou não era do tipo que estávamos acostumados a ver em casas assombradas. Havia um padrão clássico — vida familiar problemática, grande ansiedade doméstica —, mas de imediato vimos que essa família não se encaixava nesse perfil.

Jack Smurl era um homem robusto, cordial e franco; Janet Smurl era uma pessoa amigável, de voz suave, com olhos luminosos e um sorriso rápido. As crianças estavam bem-vestidas, eram educadas, atentas.

Enquanto tomávamos café, discutimos a planta da casa geminada, como cada lado tinha um sótão, três quartos e um banheiro no segundo andar, uma sala de estar e cozinha no primeiro andar, e um porão de concreto. Há uma varanda na frente e outra nos fundos, e uma garagem para dois carros. A propriedade é cercada por arame.

Enquanto falávamos sobre nós mesmos — respondendo a algumas dúvidas que eles tinham sobre nós e o modo como trabalhávamos —, eu vi uma expressão de aprovação nos rostos de Lorraine e Diane. Elas gostaram dos Smurl, sem encontrarem em nenhum deles a frustração e a raiva que vimos em tantas famílias com quem trabalhamos.

A explicação mais óbvia para aquela relativa calma era sua forte crença religiosa. Famílias que não confiam em Deus são geralmente despedaçadas por experiências demoníacas.

Janet trouxe mais café enquanto as sombras ficavam mais profundas ao entardecer. Então eu apontei para um gravador que eu tinha preparado e disse: "Agora, assim que eu ligar isto aqui, vocês vão se sentir um pouco constrangidos, mas vão se acostumar. É importante que nós entrevistemos vocês detalhadamente e estudemos as fitas mais tarde. Tudo bem?".

Janet e Jack se entreolharam. Então assentiram, e eu liguei o gravador. Durante a primeira parte da entrevista, Janet foi quem respondeu a maioria das perguntas.

"Vocês estão familiarizados com o termo satanismo?"

"Sim."

"O que ele significa para vocês?"

"Adoração a Satã?"

"Sim." Pausa. "Vocês já praticaram satanismo?"

Janet corou. "Não."

"Vocês sabem o que é um tabuleiro Ouija?"

"Sim."

"Vocês já experimentaram usar um?"

"Não."

"Tem certeza?"

Janet olhou em volta para sua família. "Sim, tenho certeza."

"Vocês leem livros sobre bruxaria?"

"Desde que os nossos problemas começaram aqui, eu li todos os livros que consegui sobre o assunto."

"Mas vocês não praticaram nenhum dos rituais nos livros?"

"Não."

"E sua fé em Deus permaneceu intacta?"

"Mais do que qualquer coisa. Ela está mais forte do que nunca."

"O mesmo vale para você, Jack?"

"Sim", respondeu Jack.

Janet disse ansiosa: "Só gostaria de saber por que você está fazendo todas essas perguntas".

"Porque", expliquei, "é incrível quantos casos nós descobrimos nos quais as pessoas, por acidente, atraíram espíritos para dentro de suas casas por meio de seus interesses em rituais sobrenaturais.

Por exemplo, soubemos de uma mulher de 25 anos que tinha uma boneca que se mexia sozinha. A mulher cometeu o erro de chamar uma médium para uma sessão espírita. Durante a sessão, um espírito se manifestou e disse que era o fantasma de uma garotinha morta e pediu permissão para residir dentro da boneca. A dona da boneca deu permissão ao espírito. Mas nos dias que se seguiram, ela começou a se arrepender do que tinha feito, porque a boneca tentou possuir pessoas na casa, e até arranhou e cortou uma delas. O espírito foi finalmente expulso da casa quando um padre realizou um exorcismo. O que aconteceu é que a dona da boneca cometeu alguns erros gravíssimos. Ela deu ao espírito 'reconhecimento' e 'permissão' para entrar na casa."

Lorraine compartilhou outra história com os Smurl naquela tarde. "Houve uma mulher de 19 anos, muito atraente, muito inteligente, que gostava de se 'aventurar' em tudo que lhe proporcionasse emoção. Um dia comprou um tabuleiro Ouija e começou a brincar com ele. Logo se viu em comunicação com um espírito que conseguiu adular a jovem a deixá-lo entrar em sua casa. Como sempre, no início o espírito foi um hóspede educado, e a jovem ficou toda animada porque por meio do tabuleiro Ouija ela descobriu a maior das 'aventuras'. Mas muito de repente as coisas mudaram. O espírito começou incêndios, teve ataques violentos pelos cômodos e tentou ferir fisicamente a família da jovem. Um padre católico que conhecemos foi chamado para realizar um exorcismo e por fim o espírito foi expulso."

"É por isso que é tão importante", expliquei, "não se 'aventurar' nas artes das trevas. E é por isso que temos que fazer essas perguntas." Eu me virei para Lorraine e pedi: "Enquanto eu termino a entrevista, por que vocês duas não fazem um tour pela casa?".

As habilidades psíquicas de Lorraine e Diane são bastante formidáveis individualmente; juntas, podem revelar verdades incríveis que nenhum outro processo parece ser capaz.

Enquanto Lorraine e Diane pediam licença, eu me voltei para o término do nosso perfil da família Smurl.

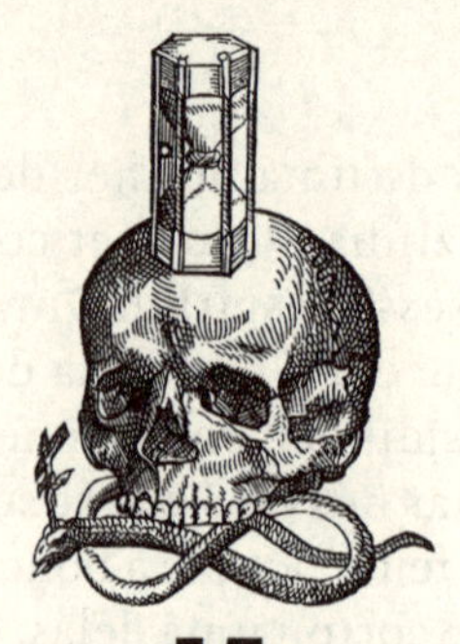

15
UM ESPÍRITO VIOLENTO

No caminho para o segundo andar, Diane parou, fechou os olhos e levou as pontas dos dedos à cabeça.

"Meu Senhor", disse ela.

Lorraine, precedendo a amiga na escada, se virou para trás. Ela sabia o que estava fazendo Diane reagir daquela maneira. Ela também já o tinha sentido. O inconfundível ar de maldade que pairava como uma mortalha cinzenta sobre toda a casa.

Diane levou uma das mãos ao peito, tentou abriu um meio sorriso. "Sabe de uma coisa?"

"O quê?"

"Estou com medo. Não achava que iria ficar, mas..."

Lorraine tocou o braço de Diane. "Está tudo bem. Nós também ficamos com medo."

"Você e o Ed?"

Lorraine fez que sim com a cabeça. "Isso nunca fica fácil, Diane." Depois ela sorriu. "Infelizmente."

"Você ouviu alguma coisa?", perguntou Diane.

"Eu... acho que sim. Não tenho certeza."

Os dedos de Diane tremiam. "Eu tenho certeza de que ouvi."

Elas estavam paradas do lado de fora do último quarto. A porta estava fechada. Todos os outros cômodos tinham sido verificados e estavam vazios.

Mas poucos instantes antes, avançando pelo corredor, houvera um barulho naquele quarto, do outro lado da porta.

"Nós podemos muito bem entrar", sugeriu Lorraine.

"Sim, podemos", Diane concordou, mas não soava muito certa do que estava fazendo.

Lorraine estendeu a mão.

Girou a maçaneta.

Abriu a porta devagar.

Um aroma adocicado de sachê estava no ar, assim como as fragrâncias intensas de outros cosméticos. A luz do entardecer lançava longas sombras sobre a cama de casal e a cômoda. A madeira da casa antiga estalava no silêncio carregado.

Lorraine atravessou o limiar, mantendo os olhos em movimento à procura de alguma coisa suspeita. Sua sensitividade como vidente lhe permite enxergar os menores traços do mundo espiritual.

Diane seguiu Lorraine para dentro do quarto, mantendo-se perto. Lorraine se ajoelhou ao lado da cama, levantou o edredom colorido e olhou embaixo dele com uma lanterna que guardava no bolso da jaqueta. Nada. Em seguida, ela olhou atrás de uma cadeira de encosto reto e depois atrás da cômoda. Ainda nada.

Havia sobrado apenas um lugar, e Diane o fitava ansiosa por vários minutos. O closet.

"Vamos olhar lá dentro?", perguntou Diane.

"Sim. Estou com a suspeita de que iremos encontrar alguma coisa lá dentro. Não sei bem por quê."

Dito isso, Lorraine se aproximou da porta do closet, se preparou, e então a abriu de supetão, focando de imediato o amarelo intenso do feixe da lanterna em seu interior.

Enquanto as duas mulheres perscrutavam o interior escuro do closet, o coração de Lorraine pareceu se alojar em algum lugar da garganta, e uma fina camada de perspiração surgiu em sua testa.

Não importa quantas vezes você encontre o submundo satânico, ele é sempre assustador.

"Está sentindo esse cheiro?"

"Sim", respondeu Diane. "Demônios."

"O quarto demônio."

"E o pior."

Lorraine estava completamente imóvel agora e apertava os olhos fechados com tanta força que uma dor de cabeça ameaçava aparecer.

Um de seus dons psíquicos era a habilidade de visualizar espíritos invisíveis que tinham infestado uma casa.

Diane a observava. "Você está conseguindo captar alguma coisa?"

Lorraine estava. "Eu temo por eles", disse, a voz preocupada.

"O que está vendo?"

Previamente elas tinham descoberto três espíritos na casa e tinham um perfil psíquico deles. Um deles estivera zangado, mas com oração e perseverança poderia ser expulso. Aquele quarto espírito, contudo, era outra história.

"Um demônio", disse Lorraine em voz baixa. "Um demônio genuíno."

Quando falou nesse momento, sua voz tinha a qualidade um pouco embotada de alguém em transe.

"Você acha que é esse que está causando os problemas?"

Lorraine, ainda presa em sua visão psíquica, assentiu.

Diane se benzeu e então fez uma oração rápida pedindo que Lorraine não ficasse sobrecarregada pela imagem que enchia sua mente.

Elas estavam paradas no meio de um quarto asseado de classe média, o crepúsculo riscando a janela, o aroma de perfume e fumaça de cigarro no ar. Esse não era o tipo de cenário onde alguém deveria encontrar evidências de Satã.

Mas agora não poderia haver dúvidas.

A coisa estava pronta para a batalha. Uma batalha incansável. O que significava que os Smurl teriam que estar prontos para revidar caso quisessem sobreviver.

Os olhos de Lorraine se abriram.

"Odeio dar as notícias a eles", disse Diane.

"Se não dermos, eles não terão nenhuma chance de expulsá-lo."

"Eu sei", disse Diane baixinho. "É só que..."

"Teremos que ajudá-los, Diane. Teremos que ajudá-los de todas as maneiras que pudermos."

As mulheres fizeram outra oração e então desceram para dar aos Smurl as péssimas notícias.

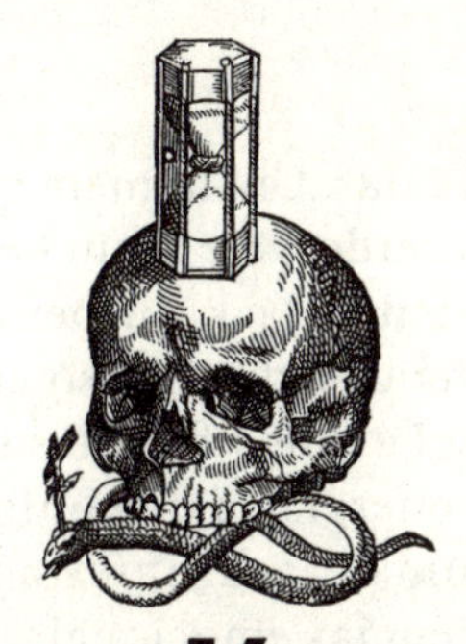

16
SATÃ E SEUS ALIADOS

Quando estavam reunidos à mesa da cozinha, Janet tendo servido café fresquinho e alguns sanduíches, Lorraine disse: "Existem quatro espíritos na sua casa".

Janet e Jack trocaram olhares desconfortáveis.

"Um deles é uma mulher idosa, provavelmente senil, mas não é violenta. Ela só está confusa. Existe outra mulher, muito mais jovem, e ela é um espírito insano e violento que pode querer machucar vocês, mas acho que podemos lidar com ela por meio de orações.

"O terceiro espírito na casa é um homem, e a essa altura tudo o que sabemos dele é que tem um bigode e pode causar grandes danos.

"E então há o quarto espírito." Neste instante ela fez uma pausa. "Quero que permaneçam calmos enquanto eu lhes falo sobre ele."

Lorraine pôde ver Janet e Jack ficarem tensos.

"Você vai nos contar que ele é um demônio, não vai?", perguntou Janet. Em suas leituras, ela aprendera que, às vezes, infestações espirituais podiam ser relativamente inofensivas, e com frequência podiam ser expulsas com orações e bênçãos residenciais constantes.

E havia os demônios.

"O demônio está aqui para criar caos e destruir a família." Lorraine observou a mão de Jack se fechar em um punho. "O demônio usará os outros três espíritos a seu favor. Ele aparecerá em muitos disfarces e a maneira com a qual tentará destruir vocês assumirá muitas formas."

O punho de Jack desceu sobre a mesa. Em seu rosto era possível ver a fadiga que a frustração e a raiva inútil tinham causado. "Mas por que ele escolheria incomodar a gente?"

Então foi a vez de Ed falar. Um homem grande com cabelo grisalho e penetrantes olhos verdes, ele abriu bem as mãos sobre a mesa e disse: "Como eu disse antes, Jack, suspeito que o demônio está na casa — adormecido — há décadas. Disso eu não posso ter certeza. Mas uma coisa que eu sei é que o fato das suas filhas estarem chegando à puberdade deu energia ao demônio. Esse é o padrão clássico — a puberdade costuma causar infestações. O demônio está se alimentando das turbulências emocionais delas e agora tem acesso às suas. Vocês são como uma bateria que ele usa para sugar energia. É uma verdadeira explosão psíquica. Ele quer manter você e sua família confusos e amedrontados; é por isso que costuma aparecer para apenas um de vocês de cada vez. Nada causa mais confusão do que isso. Carin diz que viu alguma coisa, mas mais ninguém a viu, então no fundo da sua mente você se pergunta se Carin *realmente* viu alguma coisa. Essa é uma maneira que o demônio tem de manter sua família em constante confusão e tentar separá-los".

Jack suspirou, acendeu um cigarro. "Não consigo mais dormir. Estou tão cansado, mal consigo acender essa coisa." Ele acenou o cigarro na direção de Ed.

"Lembra do que eu disse sobre ser uma bateria da qual o demônio suga energia? É isso que está acontecendo aqui. Você está sempre cansado, e essa é uma das razões de você estar sempre com frio." Ed tomou um gole de café. "Existe uma entidade que está tentando drenar sua força vital."

"Enquanto ouvíamos os Warren e Diane falando, eu me lembro de sentir uma estranha combinação de alívio e pavor", lembra Janet. "O alívio vinha do fato de ser reconfortante, de alguma maneira, que alguém tivesse todo esse conhecimento sobre infestações demoníacas. Sentimos que eles poderiam de verdade nos ajudar em nossa batalha. O pavor vinha de saber que Ed, Lorraine e Diane estavam confirmando nossas piores suspeitas. Nossa casa tinha sido dominada por um demônio."

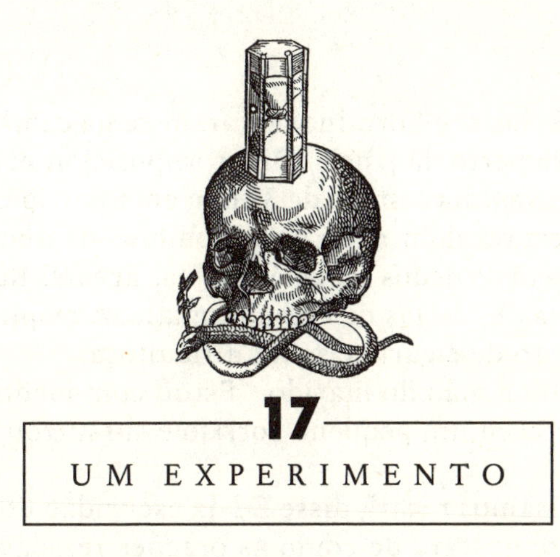

17
UM EXPERIMENTO

Naquele dia, Ed e Lorraine passaram uma hora com John e Mary Smurl, durante a qual John admitiu que a princípio ele estivera cético quanto à assombração da casa geminada, mas agora sabia que estava errado.

"Meu Deus, Ed", disse Mary Smurl, "você tem que ver o que acontece aqui para acreditar. Espero por Deus que você acredite em nós."

Ed sorriu e tocou a mão de Mary. "Já vimos o sobrenatural em ação, Mary, e estamos aqui para ajudar."

Ainda com a saúde debilitada, Mary sorriu pela primeira vez em semanas.

Por volta das 18h30, Janet serviu um jantar de presunto, salada de batata, feijão assado e café.

Durante o jantar, Ed disse: "Vou pedir a vocês que confiem em mim".

"Acho que posso falar por nós dois quando digo que confiamos em você", confirmou Jack. Sua esposa aquiesceu.

"Então depois de acabarmos de comer, por que não subimos até o quarto de vocês?"

Janet riu. "Vai nos dar uma dica ou vai nos deixar no suspense?"

"É um processo muito especial", explicou Lorraine. "Vamos ver se conseguimos fazer com que o demônio se exponha de algum modo. Diane opera uma câmera com filme infravermelho e eu aciono o gravador. Às vezes conseguimos gravar evidências deles." Ed olhou para todos ao redor da mesa. "Quando estiverem prontos..."

No quarto, Jack, Janet e Lorraine sentaram-se na cama. Ed ficou em pé em um canto perto da janela. Diane se posicionou diante da cômoda. Ela operava uma câmera de 35 mm em um tripé.

O cômodo estava dominado pelas sombras de uma noite invernal e pela silhueta de dedos esqueléticos das árvores iluminadas por um poste de rua. As molas da cama rangiam. A respiração de Jack, devido ao excesso de cigarros, soava dificultosa.

Janet segurou a mão do marido. "Estou com medo, querido."

Jack lhe ofereceu um pequeno sorriso e sussurrou em resposta: "Eu também".

"Agora precisamos rezar", disse Ed da escuridão do canto.

Janet sempre gostara de como as orações ressoavam nas igrejas quando muitas pessoas rezavam juntas. O quarto agora tinha aquela mesma sensação enquanto todos recitavam três Pai Nosso e três Ave-Maria.

Quando as orações chegaram ao fim, Ed esticou a mão e colocou uma fita no gravador. As lindas melodias de "Ave-Maria" cantada por uma freira preencheram o cômodo. A voz magnífica, a letra comovente, o quarto pareceu ser transformado durante aqueles longos minutos. Ele parecia amigável e pacífico outra vez, do modo como fora quando os Smurl tinham se mudado para lá.

Quando a música acabou, Jack desligou o gravador e acendeu as luzes. Para Lorraine, perguntou: "Alguma coisa?".

"Talvez."

"Consegue descrever?"

Ela fechou os olhos, levou os dedos compridos à testa. "Uma luz muito brilhante na frente do closet e uma mais fraca ao lado da porta do quarto."

Ed aquiesceu. "Vamos fazer isso de novo, pessoal. Prontos?"

Jack e Janet concordaram com a cabeça.

Mais uma vez, as luzes foram apagadas e "Ave-Maria" foi tocada.

Eles mal tinham começado a rezar quando ouviram um barulho de algo rompendo, como se alguma coisa estivesse sendo arrancada da parede.

"O espelho!", exclamou Janet.

Na penumbra, eles conseguiram enxergar um dos dois grandes espelhos presos à cômoda com parafusos começar a se mexer para frente e para trás, como se fosse se libertar da moldura.

"O que é isso?", perguntou Janet.

"O demônio", respondeu Ed com calma.

"Olhem para a TV!", exclamou Jack.

Os Smurl mantinham uma televisão em preto e branco portátil sobre a cômoda. Recentemente, a tomada estivera lhes dando alguns problemas, portanto eles agora a deixavam fora da tomada a não ser quando estava sendo usada, com medo de um incêndio.

Mas agora um brilho branco misterioso, o branco-prateado de aparições, preencheu a tela e banhou os corpos de Jack e Janet com sua cor estranha.

"Eu me afastaria daí", alertou Lorraine. Então, ouvindo um estrondo de algo despencando, ela viu Diane pular para longe da cômoda ao lado da qual ela estivera parada.

Havia um farfalhar nas gavetas agora; em pouco tempo elas começaram a chacoalhar com violência.

"Preciso me apressar", constatou Ed.

O brilho da TV ainda estava ali, assim como o farfalhar dentro das gavetas. O espelho tremia de um modo desenfreado, dando a impressão de que estava prestes a se desvencilhar da cômoda.

Ed pegou um recipiente de água benta, fez um enorme sinal da cruz no ar, e começou a aspergir o quarto enquanto rezava.

"Em nome de Jesus Cristo, ordeno que parta."

Janet e Jack estavam de mãos dadas e sentados bem próximos um do outro enquanto Ed andava com a água benta. Ele continuava rezando.

Pouco a pouco, o brilho da TV diminuiu e depois desapareceu. Pouco a pouco, as gavetas da cômoda interromperam o violento chacoalhar. Pouco a pouco, o espelho voltou a se assentar no lugar e permaneceu imóvel.

"O Senhor seja louvado", disse Ed por fim. "Vamos oferecer nossos agradecimentos."

Parados nas sombras, todos rezaram seus agradecimentos.

"Naquele instante, eu tive o pressentimento de que as coisas tinham praticamente terminado, que Ed, Lorraine e Diane tinham quase descoberto como lidar com os espíritos que tinham invadido nossa casa", Jack relembrou mais tarde. "Mas como Ed nos contou antes de irem embora, aquele na verdade era apenas o começo, de diversas maneiras. E, infelizmente, a previsão dele acabou se mostrando verdadeira."

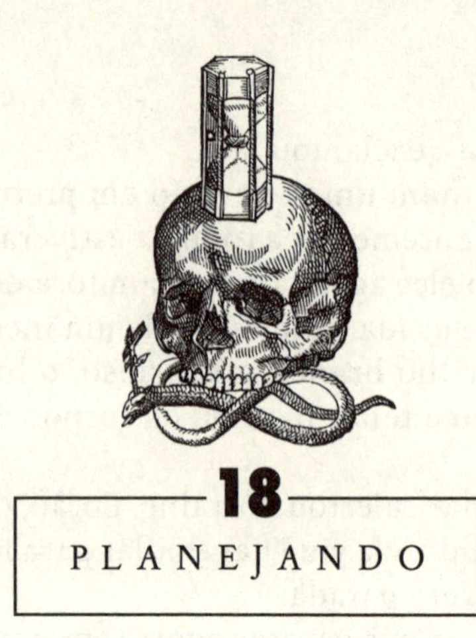

18

PLANEJANDO

Os Warren, Diane e os Smurl se reuniram em volta da mesa da cozinha outra vez.

“Em nossas investigações”, explicou Ed, “descobrimos que existem muitos ‘centros de atividades’ em casas que estão assombradas, lugares onde captamos as sensações mais fortes dos espíritos. Aqui, isso quer dizer o quarto de vocês — aquele quarto é um verdadeiro refúgio para eles. E para atravessar para a casa de John e Mary eles usam o closet no seu quarto.”

“Enquanto estava sentado na nossa sala de estar, as janelas escurecidas pela noite e com a geada acumulando nos cantos, eu pensei em como minha vida tinha mudado no último ano, e agora estava prestes a mudar ainda mais, porque sabíamos com certeza o que estávamos enfrentando. Uma parte do que senti, claro, era medo de que, se alguém descobrisse o que estava realmente acontecendo aqui, fosse pensar que minha família estava inventando todas essas coisas ou que éramos loucos”, revelou Jack.

“Como podemos lutar contra eles?”, perguntou Janet.

“Vocês podem começar com isto”, respondeu Ed e entregou a ela um pedaço de papel com uma oração: “Em nome de Jesus Cristo, pelo sangue de Cristo, ordeno que parta e volte para o lugar de onde veio”.

“Usem isso quando se sentirem em perigo. Se puderem, usem água benta e façam um grande sinal da cruz também”, instruiu Ed.

“E amanhã”, acrescentou Lorraine, “há algumas coisas que vocês deveriam comprar.”

Diane concordou com a cabeça. “Aconselhamos vocês a irem à loja diocesana de uma igreja para comprar velas e incensos religiosos e pegar bastante água benta."

Ed terminou o café. "Mais uma coisa. Eu insisto muito que vocês liguem para um padre amanhã e vejam se ele consideraria fazer um exorcismo aqui."

"Eles fariam isso?", indagou Janet.

"Se vocês os convencerem de que isso está acontecendo, sim."

"Vou ligar para a paróquia logo cedo", disse Janet.

Jack suspirou e apagou o cigarro. Olhou com calma para Ed Warren e disse: "Quero te fazer uma pergunta simples".

"Claro."

"Tudo isso vai ajudar?"

"Vou te dar uma resposta simples", respondeu Ed. "Não sei. O demônio com o qual estamos lidando aqui é forte. Muito forte. Às vezes nós conseguimos expulsar essas coisas por meio de táticas bem fáceis." Ele balançou a cabeça. "Outras vezes..."

Ele não precisou terminar a frase.

Lorraine disse: "O que fizemos aqui esta noite pode ter sido apenas o trabalho preliminar. Vamos ligar para vocês de manhã e ver como as coisas estão indo. Talvez tenhamos que enviar uma equipe especial para continuar a ajudar vocês".

"Vocês fariam isso?", perguntou Janet.

"É por isso que estamos aqui, Janet, para ajudar", disse Lorraine, sorrindo para a família.

"Mas não podemos pagar..."

Lorraine a interrompeu. "Não cobramos por nossos serviços. Tivemos três livros escritos sobre nós, fomos consultores para Dino DeLaurentis e estamos constantemente no circuito de palestras. Felizmente, isso nos permite oferecer nossos serviços de graça."

Ela deu tapinhas na mão de Janet, depois olhou para o relógio em seu pulso fino. "Está na hora de irmos. Temos uma longa viagem pela frente."

À porta, Janet disse: "Não sabemos nem como agradecer".

"Apenas lembrem-se de ir à loja da igreja amanhã. E mantenham aquela oração com vocês o tempo todo", disse Ed. Em seguida, olhou para as quatro crianças Smurl, que estiveram sentadas na sala de estar assistindo televisão enquanto os adultos conversavam sobre a infestação. Ele sorriu e acenou para elas. "E lembrem-se, meninas, certifiquem-se de que seus pais continuem tão corajosos quanto vocês!"

As meninas riram, e os Warren caminharam pela neve até a van na noite fria e cortante.

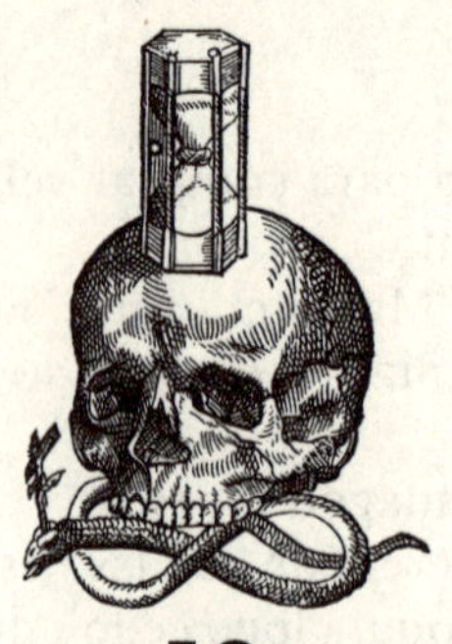

19

UMA NOITE DE PROVAÇÃO

Depois que os Warren e Diane foram embora, Janet e Jack sentaram-se na sala de estar com as quatro filhas e lhes explicaram os acontecimentos do dia.

"O que vamos fazer?", perguntou Kim, a segunda mais velha, depois de a mãe terminar de falar.

Janet explicou que no dia seguinte eles iriam à loja da igreja e comprariam diversas coisas. "E vamos ter que rezar com ainda mais afinco do que já rezávamos."

Jack estendeu as mãos. Shannon, uma das gêmeas, pegou uma das mãos, Dawn a outra. Então Janet, Kim e Carin também se deram as mãos.

Durante os vinte minutos seguintes, a família Smurl rezou com uma intensidade que nunca antes tinham alcançado.

As evidências de uma entidade que poderia muito bem destruir toda sua família foram apresentadas naquele dia. Apenas a ajuda de Deus poderia salvá-los.

Enquanto as meninas se preparavam para irem para suas camas — escovando os dentes, vestindo pijamas de algodão quentinhos —, Janet e Jack foram para a cozinha.

"Não quero que as meninas saibam disso", disse Janet, segurando a mão do marido, "mas eu estou com muito medo."

"Eu também."

"O que vamos fazer?"

"A única coisa que podemos fazer agora: o que os Warren nos mandaram", afirmou Jack.

Ela suspirou. "Talvez fosse melhor se todos nós dormíssemos aqui embaixo esta noite."

Ele pensou por um instante. "Acho que não, querida."

"Mas por que não?"

Apertou a mão dela e lhe deu um beijo suave. "Nós podemos derrotar essa coisa. E é disso que precisamos nos lembrar. *Nós podemos derrotar essa coisa.*" Ele disse isso com o tipo de determinação zangada da qual ele mais e mais viria a valer-se nos meses seguintes.

A família tomou seus lugares costumeiros nos três quartos.

"Sabe a coisa que a gente viu um dia desses?", sussurrou Carin.

As gêmeas tinham sido colocadas em suas camas, orações feitas, luzes apagadas. Mas elas estavam agitadas demais devido aos eventos do dia para dormir.

"A coisa cinza?", perguntou Shannon.

"É."

"Você acha que ela está no nosso quarto agora?"

"Você acha?"

"Você está tentando me assustar?"

"Não."

"Não acho que ela esteja aqui", disse Shannon.

"Você está dizendo isso só da boca para fora?"

"Não."

Ficaram quietas por um tempo, com apenas os sons de suas próprias respirações e do vento invernal chacoalhando as janelas por toda a casa.

Para crianças, sombras podem ser tão profundas e escuras quanto o oceano. E era essa a impressão que Carin e Shannon tinham enquanto estavam deitadas em suas camas, ouvindo com atenção.

Então veio a batida.

"Você ouviu isso?", sussurrou Carin.

"Sim."

Desde o início da infestação, os Smurl tinham sido incomodados por batidas dentro das paredes. Às vezes estas eram pouco mais do que golpes únicos. Outras vezes eram pancadas fortes em *staccato*, como se um martelo estivesse sendo batido depressa.

Havia uma terceira variedade, um som profundo, implosivo, que parecia enviar tremores a partir da fundação da casa, atravessando os pisos e percorrendo todo o caminho até a chaminé. Os Smurl sentiam que um terremoto deveria soar e se parecer com aquilo.

Foi esse som estrondeante que fez as meninas se sentarem eretas naquele momento.

"Tem alguma coisa estranha", disse Carin.

"Eu sei", concordou Shannon baixinho.

"Você está com medo?"

"Uh-hum."

Carin suspirou. "Você acha que tudo vai ficar bem?"

Shannon não tinha nenhuma resposta para aquela pergunta.

No quarto de Jack e Janet: "O que foi isso?".

O tapa ardido soara como couro contra pele.

"*A coisa acabou de me bater*", disse Janet.

Então houve outro barulho de tapa e Janet gritou.

Jack a segurou.

Ali na escuridão do quarto, ele sentia forças girando em volta deles, como um vórtice que iria puxá-los para baixo, para as profundezas de um inferno inimaginável.

Ele se agarrou à esposa como se ela estivesse se afogando.

Então ele teve a sensação de cócegas nas solas dos pés.

Não o tipo de cócegas que causa risos, mas o tipo que pode induzir à fraqueza e até mesmo à loucura se prolongado por tempo suficiente.

Jack deu pulos pela cama como se estivesse enlouquecendo.

"Jack, Jack!", gritou Janet, enquanto mãos invisíveis continuavam a esbofeteá-la, e agora a causar um frenesi animal em seu marido.

Então as batidas começaram. As batidas profundas e cavernosas que reverberavam por toda a casa.

Boom.

Boom.

Boom.

"Eles querem provar que são superiores a nós", disse Janet.

E como se para confirmar suas palavras, naquele instante a televisão portátil floresceu de novo com o brilho misterioso e pálido que tinha emitido quando os Warren estiveram ali. O brilho dessa vez se tornou tão intenso que Jack e Janet tiveram que desviar os olhos doloridos.

O aparelho ainda estava fora da tomada.

Jack se jogou para fora da cama e se levantou nu da cintura para cima, as mãos fechadas em grandes punhos.

"Por que você não se mostra para que possamos ter uma luta justa?", gritou ele para as sombras oscilantes.

Janet foi até seu lado, agarrando-se a ele.

Ela demorou muitos minutos para acalmar o marido.

As batidas nas paredes continuavam.

Era como estar em uma patrulha militar.

O bom pastor-alemão patrulhava o corredor diante do quarto das meninas, mantendo-se em alerta caso precisasse alertá-las de alguma coisa. Àquela altura, Simon sabia muito bem, a seu próprio modo, a respeito de demônios e o que eles podiam fazer aos animais de todas as espécies, humanos ou não.

Jack Smurl se juntou a Simon ao longo da noite. Carregando uma lanterna comprida e pesada o bastante para fazer as vezes de uma arma formidável, Jack acordou diversas vezes durante a longa noite para ver como as meninas estavam.

Ele sabia que elas tinham ouvido as batidas dentro das paredes e fora até lá para confortá-las quando os ruídos se tornaram ainda piores.

Por fim, por volta das 3h, as pancadas cessaram.

Jack, assustado por causa das meninas, não quis arriscar.

Ele ainda acordava, ainda patrulhava.

De manhã, ele estava, claro, exausto.

Enquanto tomava o café da manhã, o telefone tocou e Janet atendeu.

"Oi, aqui é o Ed Warren. Só estamos ligando para ver como foram as coisas ontem à noite."

Janet suspirou, olhou ansiosa para Jack. "Você pode conversar com o Jack, Ed?"

"Claro. Coloque-o na linha."

Jack foi até o telefone e explicou o que acontecera durante a noite.

"Eu temia que alguma coisa assim pudesse acontecer", disse Ed, pensativo, do outro lado. "Eles não vão desistir. Pelo menos não sem uma batalha de verdade."

"Vamos chamar um padre hoje."

"E certifiquem-se de comprar aqueles artigos religiosos."

"Sem dúvida."

"E continue revidando. Não ceda a eles. Já conversamos sobre reconhecê-los de diversas maneiras, lhes dando domínio sobre você e deixando que usem suas energias. Bem, a raiva é um jeito de se certificar de que você não vai desistir."

Jack disse, em voz baixa para que as meninas comendo mingau de aveia não o ouvissem: "Minha família está parecendo um bando de zumbis nesta manhã. Dormir neste lugar foi como ter passado a noite em um *bunker*. Como se estivesse acontecendo uma guerra".

Ed Warren disse em voz baixa: "Jack, preciso ser honesto com você".

"Honesto sobre o quê?"

Ed hesitou.

"Jack, *existe* uma guerra acontecendo."

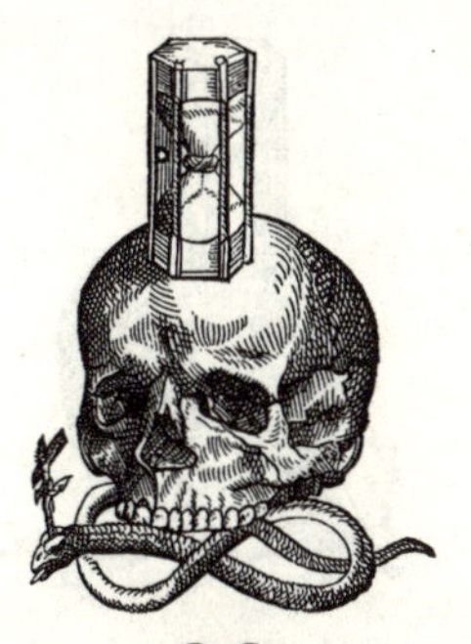

20 UM CLÉRIGO INDIFERENTE

"Nós tínhamos sempre contado com a ajuda da igreja. Mas descobrimos — de um jeito amargo, devo dizer — que esse não seria o caso", conta Janet.

"Em um dos dias em que Ed e Lorraine estavam aqui, Lorraine ligou para uma paróquia local e explicou para um dos padres — um tal de padre O'Reilly — o que estava acontecendo em nossa casa e disse que precisávamos de ajuda. Ele foi muito grosso com ela, dizendo que estava ocupado com o ensaio de um casamento e que ela deveria ligar outra hora. Depois de ele ter desligado, Lorraine disse que eles estavam acostumados com esse tipo de tratamento por parte dos padres.

"Ed então sugeriu que comprássemos certos objetos religiosos e que os levássemos para serem abençoados a fim de obter segurança para nossa família. Mas quando os levei para serem abençoados, o mesmo padre me tratou praticamente do jeito que tinha tratado Lorraine. Apesar de eu ter lhe contado tudo o que estivera acontecendo conosco, ele não demonstrou nenhum interesse ou compaixão verdadeiros.

"Ele abençoou os objetos que eu tinha levado, mas não usou água benta, e assim que acabou, se afastou apressado. Ele não me fez nenhuma pergunta que fosse."

Esse foi apenas o começo dos problemas de Janet com a igreja na qual ela crescera confiando e acreditando.

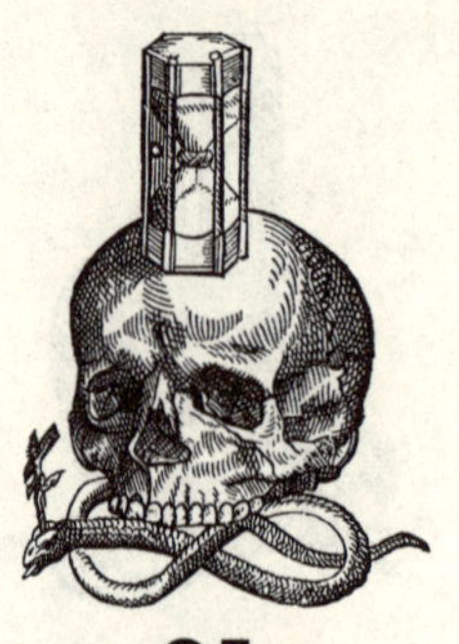

21
O DEMÔNIO SE MANIFESTA

Nos dias que se seguiram à recusa do padre O'Reilly em visitar a casa dos Smurl, e do impacto deprimente que essa recusa teve sobre a família, os Smurl descobriram como Ed Warren estivera certo sobre estarem envolvidos em "uma guerra".

UMA DESCOBERTA

Certo dia depois da escola, Dawn chegou em casa e descobriu que sua maquiagem tinha sumido da cômoda. Isso era típico dos eventos ao redor da casa naqueles últimos dias — os espíritos "sumindo" com muitos dos pertences da família.

Naquela tarde em particular, contudo, Dawn não reagiu da maneira que um típico adolescente de 16 anos teria reagido quando apresentado a evidências de demônios. Em vez disso, ela ficou brava. Ela até brincou a respeito.

"Eu sei por que vocês pegaram minha maquiagem!", gritou ela para os espíritos que ela sentia no quarto. "É porque são feios e suas mamães vestem vocês com roupas esquisitas!"

Janet, passando pelo quarto da filha, ouviu isso e começou a rir.

Ela parou de rir quando pancadas violentas começaram dentro das paredes. Agora Janet ficou apreensiva. Será que Dawn tinha irritado tanto o demônio ao ponto de ele querer machucá-la?

Janet prometera a si mesma que na próxima vez que as batidas nas paredes começassem, ela iria correr para pegar um gravador, o que ela fez naquela hora.

Ajoelhada ao lado do lugar de onde vinham as batidas, Janet acionou o gravador e então disse: "Quero me comunicar com você".

"Mãe!", sussurrou Dawn.

Dirigindo-se ao demônio outra vez, Janet falou: "Quero que você bata uma vez para sim e duas para não. Entendeu?".

Dawn foi até a cama e se sentou, ao mesmo tempo amedrontada e fascinada.

"Entendeu?", Janet repetiu a pergunta para o demônio.

Nada.

Janet verificou o gravador e então passou a ter uma conversa mais interessante.

"Você está aqui para nos machucar?"

Nada.

"Ele não vai falar com a gente", comentou Dawn.

"Você está aqui para nos machucar?", repetiu Janet.

Dessa vez houve uma batida.

Uma única batida.

A resposta era sim.

O demônio estava ali para machucá-los.

Janet arquejou.

"Você está aqui para me machucar?", perguntou Janet, querendo se certificar de que a primeira batida tinha mesmo sido uma resposta para sua pergunta.

Outra batida única.

Sim.

Janet sabia que sua pergunta seguinte poderia fazer com que o demônio ficasse enlouquecido. Ela iria introduzir na conversa o nome da entidade que expulsara Satã do paraíso: o próprio Deus.

Janet perguntou: "Você acredita em Jesus Cristo?".

A resposta foi imediata e furiosa.

As batidas se tornaram tão altas e intensas que Janet foi empurrada para longe da parede, chutando o gravador quando foi jogada por cima dele.

Dawn enterrou o rosto no travesseiro, tentando proteger os ouvidos das pancadas ensurdecedoras.

"Pare! Pare!", gritou Janet para o demônio.

Três ou quatro minutos depois, as pancadas pararam.

O primeiro movimento de Janet foi endireitar o gravador, rebobinar a fita e tocá-la para ver se todo o episódio tinha sido gravado. Felizmente, tinha.

Ela foi até a cama e sentou-se ao lado de Dawn. Passou o braço em volta dela: "Por que você não saiu correndo do quarto, querida? Sei que você ficou com medo".

Dawn sorriu. "Queria ficar aqui caso eu precisasse proteger você."

Janet nunca sentira tanto orgulho da filha quanto naquele momento.

PROBLEMAS NO BANHO

Encerradas as tarefas domésticas do dia, Janet Smurl estava tomando um banho.

Ela acabara de se acomodar na banheira, ensaboando-se com sabonete Dove, quando de repente sentiu olhos sobre si.

Ela nunca se sentira tão nua ou vulnerável.

Ela continuou seu banho, ensaboando o rosto com delicadeza e enxaguando o sabonete de imediato.

Então o assobio começou.

Era o tipo de assobio lascivo que mulheres têm que aturar ao redor de grupos de homens bêbados, carregado de insinuações e ameaças.

Janet começou a gritar.

Jack, que estava lendo o jornal no andar de baixo, correu para cima galgando os degraus dois de cada vez. Ele escancarou a porta do banheiro, entrou e encontrou Janet agachada no canto da banheira, tremendo.

"Ele está aqui!", exclamou ela.

Então ela lhe contou sobre o assobio.

"Por favor, fique aqui comigo, Jack. Por favor."

"Não se preocupe", Jack a acalmou.

No lado oposto ao da porta do banheiro havia um crucifixo que ele usara para manter o corredor seguro. Ele escancarou a porta agora para que Janet pudesse ver a cruz.

Ele ficou sentado ali até que ela terminasse o banho.

Enquanto se secava com a toalha, Janet disse, abatida: "Agora a coisa está ficando tão ruim que precisamos de um guarda-costas para tomar banho".

MULHERES ESTRANHAS

Exausto depois de um longo dia de trabalho e da tensão que dominava a casa, Jack pegou no sono na noite de uma sexta-feira mais cedo do que o normal.

Por volta das 2h, ele foi acordado por barulhos de pessoas conversando. Ele pensou que poderiam ser as gêmeas. Mas às 2h?

Então ele ergueu o olhar e viu duas mulheres no quarto. Uma parecia estar na casa dos 40 anos, a outra na casa dos 20. Elas usavam toucas antiquadas e vestidos longos que lançavam um brilho estranho parecido com aquele da televisão. De um jeito estranho, seus cabelos não tinham uma cor exata.

Então elas desapareceram.

Instantaneamente.

De manhã, Jack contou a Janet sobre aquela aparição peculiar. Os dois concordaram que poderia muito bem ter sido um sonho causado pelo estresse que a família estava sofrendo.

Naquela noite, porém, as mesmas duas mulheres reapareceram. Jack as observou enquanto elas permaneciam no canto sombreado do quarto. Ele tentou acordar Janet, mas não conseguiu (àquela altura, ele já sabia que ela estava experimentando o "sono psíquico" que permitia que o demônio aparecesse para uma pessoa sem ter a outra acordada para corroborar a aparição).

Nessa noite as mulheres começaram a cochichar entre si. Então a mais nova se virou para Jack e sorriu. Seus lábios se contorceram de um modo sarcástico.

Ele tentou gritar, mas descobriu que não tinha voz.

Ele tentou sair da cama, mas descobriu que estava paralisado.

Ele tentou acordar Janet de novo, mas em vão.

Ele ficou deitado e as observou sussurrando e sorrindo para ele com desdém.

Então elas voltaram a entrar no closet de onde tinham saído e desapareceram.

Mesmo depois de três dias e noites inteiros, Jack ainda estremecia sempre que pensava nas duas mulheres e em suas presenças estranhamente ameaçadoras.

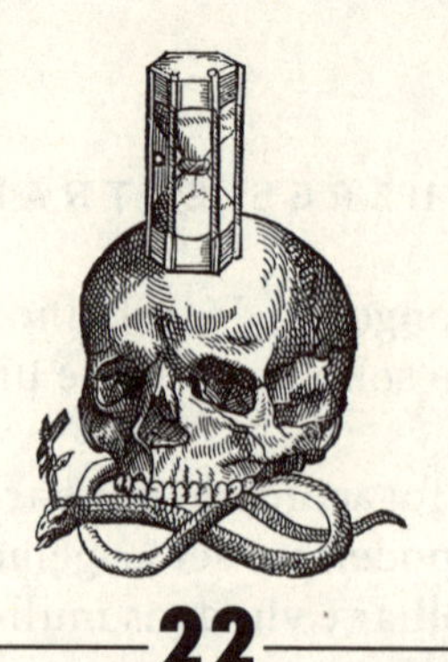

22
A CHEGADA DA EQUIPE

Ed e Lorraine Warren passaram, no início de fevereiro, a ligar para os Smurl praticamente todos os dias. Os ataques do demônio pioravam a cada dia.

Por fim, os Warren despacharam para a casa dos Smurl uma equipe de pesquisadores psíquicos que deveria analisar a situação da família nos mínimos detalhes.

Em uma manhã nublada de fevereiro, um sedã escuro estacionou diante da casa geminada dos Smurl, levando Jason Kerns e Ricky Munro. Jason era um paralegal de Bridgeport, Connecticut, que auxiliara os Warren a lidar com o sobrenatural em muitas ocasiões. Ricky é de Huntington e atualmente estuda demonologia com os Warren.

"Como Ed tinha me alertado, eu podia sentir uma presença demoníaca mesmo do outro lado da rua. Eu olhei em volta para as casas agradáveis alinhadas dos dois lados da rua, para os espetáculos diários de crianças em volumosos casacos de inverno brincando atrás de montes de neve, e para os cachorros e gatos correndo pela rua no frio, e eu fiquei pasmo, como sempre fico, que nos cenários mais comuns, como aquele, Satã encontra um jeito de entrar nas vidas das pessoas", comentou Jason.

Depois de conheceram Janet, Jack e as crianças, Jason e Ricky começaram a armar gravadores no corredor do andar de cima, a examinar os "pontos de entrada" que os espíritos usavam para ir e vir entre as casas e a entrevistar cada membro da família Smurl.

“Quero lhes dizer uma coisa logo de cara”, disse Jason quando estavam todos reunidos na sala de estar. “Vou começar com a suposição de que vocês não estão nos contando a verdade.”

“*O quê?*”, exclamou Janet, um tanto chocada e insultada.

“Vocês vão precisar me *provar* que a sua casa foi infestada.”

“Mas por quê?”

“Porque muitas pessoas fazem coisas assim para conseguir atenção ou só para fazer algum tipo de pegadinha.”

“Mas depois de tudo o que passamos...”, disse Janet.

Jason ergueu a mão. “Me contaram que vocês passaram por todas essas coisas, mas eu não sei disso de fato.”

“Espera aí...”, pronunciou-se Jack.

Jason disse: “Se coloque no meu lugar, Jack. Sou um investigador psíquico treinado. Se eu aceitasse automaticamente tudo o que todos me dizem, eu estaria fazendo meu trabalho de verdade?”.

“Os Warren disseram que vocês iriam nos fazer algumas perguntas difíceis”, disse Janet, rindo e aliviando a tensão no cômodo. “Eles com certeza não estavam brincando.”

Ao longo das próximas horas, os Smurl reviveram toda a assombração, embora, como Janet admitiu:

“Não temos certeza de quando ela começou exatamente. Acho que teríamos que datar — para ser oficial — por volta da época em que tanto eu quanto Mary vimos a forma escura.”

Os Smurl em seguida passaram a detalhar todas batidas, odores, sussurros e aparições mais sérios que lhes tinham sido infligidos, terminando com a aparição das mulheres estranhas no quarto de Janet e Jack.

“Vocês encontraram alguma coisa de manhã?”, perguntou Jason a Jack.

“Encontramos alguma coisa?”

“Alguma evidência?”

“Como o quê?”

“Ah, um botão. Um fio de cabelo daquela cor tão estranha, talvez.”

“Não.”

“Mas você tem certeza de que não sonhou com elas?”

“Espera aí...”

Janet acariciou a mão de Jack com gentileza. Ele se acalmou. “Sei que não sonhei com elas. Elas eram reais demais. Tudo a respeito disso foi real.”

Jason assentiu, fez anotações no livro grosso aberto em seu colo.

"Ele estava lhes perguntando sobre as duas mulheres quando eu ouvi a primeira batida", disse Ricky. "Foi incrível — e muito assustador. Eu estive estudando demonologia com os Warren há algum tempo, mas nunca tinha tido esse tipo de experiência de verdade antes. Foi como se o ar no cômodo tivesse congelado. Jason correu para o andar de cima para se certificar de que os gravadores estavam funcionando direito para que pudéssemos ter certeza de que iríamos gravar as batidas."

Durante a hora seguinte, pancadas fortes avançaram de cômodo em cômodo conforme os espíritos pareciam ter algum tipo de ataque frenético.

Jason comenta que, àquela altura, ele sabia muito bem com o que estava lidando. "Era uma infestação demoníaca. Passamos a noite toda ouvindo, gravando e catalogando uma variedade de experiências associadas ao sobrenatural, tudo desde gravações em fitas onde podemos ouvir as batidas, a odores que apareciam em certos lugares da casa. Fazíamos anotações em nossos registros a cada cinco minutos. Pela manhã, estávamos todos exaustos. Janet nos preparou um excelente café da manhã com ovos, linguiças e torradas, e depois voltamos a Connecticut para conversar com os Warren. Tínhamos muitas fitas que achávamos que provavam de uma maneira conclusiva que havia um demônio na casa."

Outro membro da equipe, Brad Petersen, se juntou a Ricky na visita seguinte.

Brad entrevistou Shelley Adams e seus pais, que moravam no outro lado da rua, e então continuou com os Smurl de onde Jason tinha parado, perguntando-lhes se acreditavam em fantasmas, se tinham alguma afiliação religiosa incomum, ou se tinham feito alguma coisa que pudesse ter convidado o demônio a entrar.

Na metade da visita de Brad as batidas recomeçaram.

"Você tenta descrevê-las para as pessoas e elas não conseguem imaginar. Você está parado olhando para uma parede comum e de repente esses ruídos irrompem do lado de dentro, como se alguém estivesse correndo para cima e para baixo dentro da parede, alguém invisível. Isso te dá arrepios. E dá mesmo", diz Brad.

"Mas as batidas não foram as únicas coisas que me incomodaram naquela tarde", continua ele. "Foi a aparência da família. Eu trabalho como paramédico. Vejo pessoas sob muitas circunstâncias estressantes. Do jeito que os Smurl se comportavam, eu pude ver que estavam sendo forçados ao limite. Pude ver que nós — me refiro a toda equipe Warren — teríamos que nos envolver."

No dia seguinte, após uma longa reunião matinal, Ed e Lorraine Warren tomaram duas decisões — fazer uma segunda visita aos Smurl e envolver diversos outros especialistas.

As pessoas que eles selecionaram incluíam um médico legista de Connecticut; Jeff Newton, um veterano há dezenove anos no departamento de polícia de Hartford, Connecticut; Brady Cotter, um estatístico de uma grande agência de publicidade; e Chris McKenna, o neto dos Warren, que é bacharel em psicologia. Em diferentes momentos ao longo dos meses seguintes, essas pessoas desempenharam papéis importantes na tentativa de expulsar os espíritos da casa geminada na West Chase Street.

Naquele momento, contudo, a presença dos Warren era necessária e, portanto, em um dia ensolarado de março, eles refizeram a viagem de quatro horas de carro. Àquela altura, eles sabiam muito mais a respeito da natureza da infestação.

Infelizmente, a maioria das notícias que tinham para os Smurl seriam más notícias.

O APRENDIZ DE DEMONOLOGISTA

O mais estranho é que, quando garoto, ele nunca se interessou por histórias em quadrinhos, nem por filmes, nem por brochuras sobre o oculto. Um aluno nota 10 que preferia história em vez de inglês e matemática em vez de música, ele era um daqueles jovens "sensíveis" que de uma maneira perigosa chegava perto de ser um "nerd". Hoje ele ri:

"Eu tive todas as falhas comuns dos adolescentes, as espinhas, as roupas amarrotadas, a ansiedade perto de garotas bonitas, a indecisão sobre o futuro. Mas mais que tudo, eu era um 'realista'. Meus pais sempre me elogiaram por isso — eu tive um emprego de meio período em um mercadinho quando tinha 11 anos e desde então trabalhei de forma contínua. Sempre cuidei das coisas que eles compravam para mim — a bicicleta Schwinn que eu ganhei no meu décimo aniversário parece quase tão boa hoje quanto era quando meus pais me deram de Natal quinze anos atrás — e eu chegava sempre na hora e sempre lhes contava o que ia fazer. Sobre a única 'grande noite' que eu tive no ensino médio foi uma vez quando um amigo meu e eu pegamos quatro latas de Budweiser da geladeira do pai dele e nos sentamos na garagem e as bebemos. Isso foi na mesma época, socialmente, em que a maioria dos rapazes de nossa idade estavam fumando maconha e usando LSD. E esse tipo de conservadorismo se estendeu até meus anos universitários também. Decidi ser engenheiro. Legal, seguro, estável e empírico. Eu não era religioso, e sempre que alguém mencionava qualquer tipo de fenômeno esquisito — e com isso incluo tudo desde demônios a óvnis — eu dava minha risada de engenheiro e o descartava. Eu me lembro de ver um dos meus verdadeiros ídolos, Arthur C. Clarke, em um programa de TV uma vez se perguntando em voz alta por que os óvnis, por exemplo, nunca aterrissavam onde grandes quantidades de pessoas poderiam vê-los? Então ele prosseguiu para refutar — pelo menos para a minha satisfação — todos os incidentes famosos de avistamentos de óvnis."

Donald continuou tão cético quanto fora durante seus anos universitários. Quando se formou, descobriu que o mercado de trabalho que ele dera como certo encolhera de modo considerável. Ele passava horas em entrevistas de emprego todos os dias, mas em vão.

"Foi muito deprimente. Não conseguia nem obter um emprego como trainee. Isso foi bem no auge da recessão. Eu apenas pegava o que conseguia encontrar, geralmente qualquer bico de um dia que a agência de empregos local conseguia encontrar para mim. Eu morava com meus pais, claro, porque não tinha dinheiro para me mudar e conseguir meu próprio apartamento."

Em uma noite fria de uma sexta-feira de novembro, entediado e deprimido porque seu aniversário estava chegando e ainda não havia nenhuma perspectiva de trabalho à vista, Donald foi até o Regal, uma relíquia de uma época em que os cinemas eram construídos para parecerem palácios, e assistiu à *Horror em Amityville*.

Donald: "Normalmente, eu não teria escolhido um filme desses. Para entretenimento eu gostava de Clint Eastwood ou Charles Bronson. Eu ainda não tinha desenvolvido nenhum gosto especial pelo terror ou pelo oculto. Eu nem gostava de ficção científica. Mas naquela noite de sexta-feira eu precisava sair de casa — tinha acabado de passar o dia inteiro descarregando caixotes no armazém de uma loja de descontos —, e *Amityville* era o único filme que parecia pelo menos vagamente interessante. Eu tinha lido algumas coisas sobre o incidente e suponho que foi por isso que fiquei pelo menos um pouco intrigado por ele."

O mais estranho foi, Donald recontou mais tarde, que ele não gostou muito do filme, considerando-o exagerado e ilógico em inúmeros pontos. No entanto: "Ele disparou alguma coisa dentro de mim. Pela primeira vez eu me perguntei se todo o meu ceticismo em relação a fenômenos ocultos não era um pouco forçado demais. Talvez eu tivesse fechado os olhos para um bocado de coisas".

Na segunda-feira, Donald foi até a agência de empregos apenas para descobrir que eles sequer tinham um bico para ele naquele dia. Foi outro amargo dia frio e, com uma espera de 25 minutos pelo ônibus da cidade pela frente, Donald caminhou por dois quarteirões até uma filial da biblioteca, aonde ele foi, como sempre, à seção de não ficção.

Normalmente, as leituras de Donald eram compostas de livros sobre astronomia e debates atuais sobre assuntos científicos.

Com *Horror em Amityville* ainda fresco na mente, naquele dia Donald escolheu um formidável novo volume intitulado *Mysteries,* de Colin Wilson, o qual ele abriu ao acaso. O primeiro parágrafo que leu estava na página 486: "Mas desde que o dr. Rhodes Buchanan começou a realizar testes nos alunos da Cincinnati Medical School à procura de poderes psicométricos na década de 1840, pesquisadores modernos perceberam que tais poderes são muito mais comuns do que pensamos... Experiências com poltergeists ocorrem todos os dias da semana; investigadores como Hans Bender e William Roll examinaram centenas deles".

Donald passou as seis horas seguintes na biblioteca — sem sequer se dar conta da tarde tornando-se crepúsculo —, debruçado sobre cada palavra que o autor tinha a dizer sobre o tema do paranormal e do oculto.

Absolutamente sem planejar — e mesmo até certo grau lutando contra seus melhores instintos —, Donald Bennett, se tornou, naquela tarde, um aprendiz de demonologista.

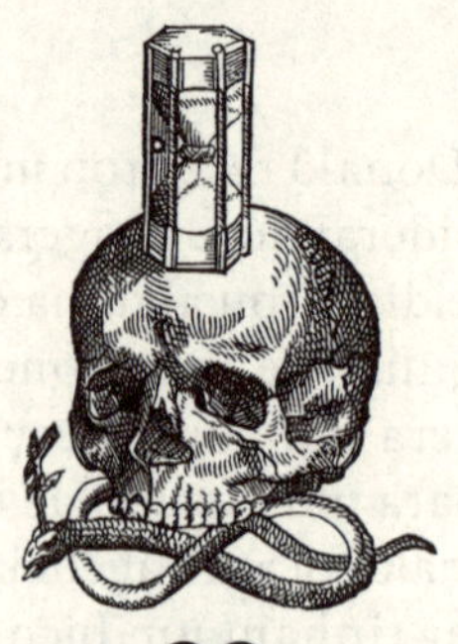

23

LORRAINE COMPARTILHA ALGUNS FATOS PERTURBADORES

“Por favor, não fiquem com medo do que vamos explicar para vocês”, disse Lorraine aos Smurl na tarde do dia seguinte, quando a família e os Warren se reuniram na sala de estar. Ela abriu um caderno grande com encadernação de couro e começou a ler.

Em resumo, ela lhes contou que a investigação revelou que todos os sinais clássicos de uma infestação estavam presentes na casa geminada dos Smurl, com uma exceção. “Vocês são uma família muito sólida e é isso que é tão incomum. Mas é por isso que sinto tanta esperança que podemos lidar muito bem com a situação. Porque vocês têm o tipo certo de reserva espiritual para usar.”

Ela então passou a listar os incidentes que os Smurl tinham relatado à equipe investigadora como provas adicionais da infestação, por fim se concentrando na forma escura. “Esse é o demônio. Ele nunca fica ereto, sempre fica curvado quando anda ou fica em pé e pode aparecer do nada. Ele pode desaparecer dentro de um closet ou na parede ou em qualquer lugar aonde queira ir. Ele também pode fazer uso de uma poderosa hipnose telepática para possuir qualquer mente humana.” Ela acenou com a cabeça para Ed. “Certa vez conhecemos uma mulher que jurou para nós que tinha visto o cômodo na qual ela estava irromper em chamas — literalmente explodir. Mas isso não tinha acontecido de verdade, claro. Foi apenas o demônio pregando peças na mente dela e tentando confundi-la. O demônio conta com isso — com seu poder de confundir as pessoas. Essa é sua melhor arma.”

Lorraine prosseguiu explicando que os espíritos vagam pela terra porque não aceitaram a morte de seus corpos físicos. Muitos espíritos não machucam pessoas, mas "podem ser usados por demônios, como em sua casa, para se tornarem malevolentes".

Então Janet perguntou a respeito de todas as coisas que andaram sumindo da casa — roupas, livros, maquiagem, joias e o rosário.

Ed explicou que esse tipo de atividade era comum em assombrações, outra maneira de o demônio confundir as pessoas e causar conflitos na família. Ele disse: "Lembram que vocês me contaram que Dawn e Shannon tiveram uma briga porque Dawn achou que Shannon tinha pegado alguma coisa dela? Esse é um bom exemplo do que o demônio gosta de fazer".

Enquanto conversavam, Lorraine relanceou o olhar para fora da janela e viu um ônibus escolar amarelo avançando pela rua. "Eu gostaria de encerrar antes que as crianças cheguem em casa, então vou ser breve." Ela apontou para o caderno. "Eu examinei as anotações que toda a equipe fez e preciso dizer que este demônio é muito pior do que suspeitávamos."

Ela deu a Janet tempo para que ela apoiasse a cabeça nas mãos e a balançasse. Ficou óbvio que Janet sentia-se desgostosa e cansada. Lorraine estava acostumada a ver essas emoções refletidas nos rostos extenuados das vítimas de um demônio.

Lorraine disse: "E nesta amanhã eu tive uma experiência com o demônio em primeira mão".

Janet ergueu a cabeça. "É mesmo?"

"Infelizmente, sim. Logo depois de chegarmos aqui, eu subi e comecei a andar pelos quartos das meninas. Quando estava perto da cama da Dawn, ouvi ruídos de raspagem na janela. Soava como alguma coisa arranhando freneticamente o vidro. Quando ergui os olhos, vi a forma escura parada do lado de fora, olhando para dentro. Foi horrível."

Ed, tentando tranquilizar os Smurl, contou: "Nós encontramos um padre para abençoar a casa".

"Um padre? Sério?" Janet sorriu pela primeira vez naquele dia.

Ed franziu o cenho. "Visto que vocês não parecem estar tendo muita sorte com a igreja, nós decidimos tentar."

Lorraine disse: "Só esperamos que adiante alguma coisa".

O padre chegou às 18h em ponto.

Ele era um homem calmo e cortês, e Janet gostou dele, apesar de perceber o quanto ele parecia apreensivo, e os olhares furtivos que ele lançava para Jack e para ela própria a faziam sentir como se fosse algum tipo de aberração.

Será que o padre tinha ouvido histórias sobre os Smurl?

Será que havia boatos se espalhando de que a família era louca?

Terminados seus rituais, o padre lhes desejou um discreto boa-noite e foi embora.

"Ele já ouviu falar de nós, não ouviu?", perguntou Janet a Ed assim que o padre foi embora.

Ed se sentiu desconfortável com a pergunta, sabendo o que ela insinuava. "Ele provavelmente só estava nervoso."

"As pessoas estão começando a falar sobre a gente, não estão?", indagou Janet.

Ed suspirou. "É possível. Os boatos se espalham e as pessoas começam a fofocar."

"E o padre ouviu algumas dessas fofocas."

Lorraine suspirou. "Ela pode estar certa, Ed. Talvez os boatos tenham se espalhado por toda a área."

"Um padre", disse Janet. "Era de se esperar que, de todas as pessoas, ele ia querer ser o mais prestativo." Ela pensou de novo em como sua igreja, a igreja da qual ela fizera parte desde seu batismo, a tinha abandonado.

Ela pediu licença e foi até a cozinha, onde chorou em silêncio.

Naquela noite, todos saíram para comer em um restaurante local — as meninas aproveitando a ocasião para pedir seus favoritos de costume: milk-shakes maltados, hambúrgueres e batatas fritas (e Janet ficou contente ao ver que, mesmo no meio de toda aquela loucura, suas filhas não tinham perdido o apetite) — e depois voltaram para casa, onde Ed realizaria o rito muito perigoso de provocação religiosa.

Naquele momento eles não faziam nenhuma ideia do quão mais perigoso ele se mostraria.

ED WARREN

Depois do jantar daquela noite, eu fui até o quarto de Janet e Jack preparado para forçar o demônio a se expor através de um ritual conhecido como provocação religiosa.

Ele funciona da seguinte maneira: você invoca o nome de Jesus Cristo e seu sagrado sangue e então ordena que o demônio se revele e seja banido da casa.

No passado, nós costumávamos ter sucesso com esse ritual e eu estava bastante esperançoso de que ele se mostraria útil naquela noite. Mas quando entrei no quarto, senti um frio no ar, como se uma presença estivesse literalmente roubando o calor da atmosfera, e vi, em cima da cama, a colcha retalhada que Janet tinha encontrado rasgada certa manhã.

Andei em volta do quarto, depois parei perto do closet, que era, eu sabia, onde os espíritos residiam e por onde eles passavam por entre as casas.

E então meus sentidos foram dominados — não conheço uma maneira melhor para descrever a sensação. Você já teve alguém segurando um frasco de cânfora diante de seu nariz? Sabe como parece que ele te deixa atordoado e te joga para trás?

Foi isso que começou a acontecer comigo.

Depois as coisas pioraram ainda mais: Eu comecei a fazer uma oração em voz alta e dedos invisíveis agarraram minha garganta, me sufocando.

Eu nunca tinha sido estrangulado antes, e a sensação foi inacreditável, principalmente visto que eu não conseguia enxergar meu atacante. Eu podia sentir meus pulmões ardendo por ar e sentia o sangue afluindo ao meu rosto. Eu estava quente, tonto e incapaz de respirar.

Quando tínhamos investigado Amityville, eu tivera uma experiência onde senti como se alguém tivesse colocado um pano quente e vaporoso sobre meu rosto, mas isto foi bem pior. Eu estava literalmente arranhando o ar como um animal.

Eu percebi que havia apenas uma maneira para eu me salvar, e que era me colocar no que é chamado de resistência religiosa. É muito difícil de fazer em um momento em que você está sendo atacado, mas essa era a minha única esperança.

Com o máximo de cuidado que consegui, visualizei a luz branca de Jesus Cristo em volta do meu corpo. Imaginei meu corpo reluzindo com esse selo protetor — literalmente o amor de Deus.

Pouco a pouco, embora estivesse estatelado de costas sobre a cama, eu comecei a sentir os polegares invisíveis que apertavam minha garganta começarem devagar a aliviar a pressão.

Nesse instante, um dos meus assistentes, Jeff Newton, entrou no quarto e viu o que estava acontecendo comigo. Ele se juntou a mim na reza, e a pressão na minha garganta enfraqueceu ainda mais. Por fim, eu fui capaz de me sentar e respirar normalmente outra vez.

Jeff me fez muitas perguntas sobre o que tinha acontecido, e nós dois concordamos que a infestação naquela casa era provavelmente a pior que já tínhamos visto.

E o que aconteceu em seguida com certeza confirmou essa suspeita. Apesar do fato de o demônio ter tentado me estrangular, eu planejava continuar realizando provocações religiosas em cada um dos quartos, minha esperança era de que dessa maneira os Smurl teriam alguma paz.

Fiquei parado no corredor, recuperando meus sentidos, minha força e minha coragem, ainda abalado por quase ter sido sufocado até a morte. Em uma das mãos eu levava um crucifixo e, no fim das contas, foi uma boa coisa eu tê-lo comigo.

O quarto adjacente estava na penumbra. As camas estavam arrumadas, as roupas organizadas no closet, livros, discos e itens escolares alinhados nas estantes.

Eu sequer tinha começado a rezar quando senti um frio abrupto atravessar o quarto, era como uma nuvem invisível. Em menos tempo do que levei para rezar três vezes a Ave-Maria, a temperatura no quarto despencou quase trinta graus. Eu continuei exigindo — embora estivesse começando a ficar com muito frio — que o demônio partisse. É óbvio que ele não estava reagindo com alegria às minhas exigências, porque eu vi um fio fino, prateado e delgado começar a se formar no espelho ornamentado acima da cômoda.

Aturdido, eu observei conforme o fio começava a formar letras do alfabeto — primeiro um V e depois um O e em seguida um C e, então, um E.

Eu continuei tremendo devido ao frio congelante, mas não tive nenhuma escolha a não ser observar fascinado enquanto a mensagem repugnante passava a se revelar por completo. Apesar de investigar assombrações há mais de quarenta anos, eu nunca tinha visto nada parecido com aquilo antes.

Então a mensagem ficou completa.

E era: "Você é um desgraçado imundo. Saia desta casa".

Um fedor terrível encheu minhas narinas.

A temperatura caiu ainda mais, e eu senti uma paralisia perigosa se assentar sobre mim. Demônios costumam gostar de imobilizar as pessoas; faz com que fique mais fácil para eles realizarem seus truques.

Então eu me lembrei do crucifixo em minha mão. Eu o ergui para o espelho e ordenei que o demônio partisse. A princípio a mensagem permaneceu clara e em seu lugar, mas quanto mais eu gritava o nome de Cristo, menos vívida a escrita delgada se tornava.

Por fim, o material parecido com um fio começou a derreter, quase como neve exposta à luz reluzente do sol.

O fedor deixou o quarto.

Senti minha temperatura corporal começar a subir.

Gostaria de poder dizer que me senti como se tivesse acabado de obter uma vitória, mas não obtive.

Então, e não sem culpa, deixei meu olhar baixar para o crucifixo em minha mão. Pensei em Cristo e em Seu sofrimento. O que era minha pequena provação comparada à dele?

Um sorriso surgiu em meu rosto enquanto eu fitava o lugar onde a mensagem tinha aparecido no espelho. Eu devia me animar com o que o Senhor Jesus tinha me ajudado a fazer. Eu não devia sentir medo.

Armado com uma nova determinação, e depois de verificar o último quarto, eu desci ao primeiro andar para ver o que os outros estavam fazendo.

O APRENDIZ DE DEMONOLOGISTA

Na mesma época em que Janet e Jack Smurl começavam a vivenciar os primeiros exemplos aterrorizantes de infestação demoníaca, Donald Bennett começava a procurar contatos sérios no mundo do paranormal.

Embora passasse seus dias procurando alguma maneira com a qual colocar seu diploma de engenharia em prática, ele visitava a biblioteca com o máximo de frequência que conseguia, selecionando livros e jornais que chegavam a remontar ao século passado.

Sendo um cético tanto inteligente quanto prático, Donald logo descobriu que havia um amplo desfiladeiro separando os verdadeiros estudantes do oculto daqueles que estavam simplesmente procurando emoções ou publicidade.

Em seu quarto, as paredes cobertas de pôsteres da banda de rock Heart ("Conte com o Decote" alguém certa vez comentara como um modo de explicar o sucesso do grupo), Donald passava horas beliscando salgadinhos Fritos e bebendo Pepsi diet, debruçado sobre os livros que levara da biblioteca para casa.

De tempos em tempos, quando o cortante vento invernal açoitava as janelas, e quando já passava de meia-noite, ele ouvia rangidos na casa que nunca ouvira antes. Uma sensação de algo sinistro o dominava nesses momentos, e ele largava o livro, o coração martelando no peito, percebendo que mesmo com seu ceticismo profundamente enraizado, ele estava com muito medo.

Certa vez, quando o medo de repente o dominou, ele quebrou seu feitiço ao imaginar como seus pais se sentiriam se seu filho de 23 anos entrasse em seu quarto e lhes perguntasse se poderia dormir com eles. A imagem era tão hilária que ele colocou o livro de lado e fez um intervalo, descendo para o andar de baixo com a intenção de comer um sanduíche e depois indo até a sala de estar para assistir a um dos poucos filmes de ficção científica do qual ele gostava, *A Ameaça Veio do Espaço*, um relato especialmente convincente sobre uma invasão alienígena escrito por Ray Bradbury e dirigido pelo grande Jack Arnold.

Essa era sua vida naquela época — entrevistas de empregos inúteis depois de entrevistas de empregos inúteis (ele estava enviando currículos em círculos cada vez mais amplos, até o oeste de Chicago àquela altura) e horas na biblioteca ou em seu quarto lendo livros sobre o paranormal e o oculto.

Em uma revista, ele encontrou o nome de um grupo local de especialistas em fenômenos paranormais que se reuniam três vezes por mês. Ele passou a semana anterior à reunião tão animado quanto estivera em seu primeiro (e, infelizmente, último) encontro com Cheryl Miller, apenas para descobrir que o grupo era composto de pessoas que seu pai descreveria como "pirados". Parecia que todos no grupo tinham sido sequestrados por alienígenas pelo menos uma vez e muitos deles pareciam ter passagens de ida e volta para o sistema solar. Mesmo que fossem sinceros, ele considerou suas histórias (quando combinadas com seu ceticismo) impossíveis de acreditar.

Mas durante esses meses, ele mesmo estava se transformando em uma espécie de alienígena. O desemprego não faz muito bem para a autoestima de uma pessoa, e a rotina de preencher formulários de empregos não era apenas degradante, era também exaustiva.

Em suas preces noturnas (ele nunca perdera o hábito de rezar, mesmo que não acreditasse na divindade exatamente como ele/ela era retratada pela religião organizada) ele pedia um emprego, uma namorada, saúde boa e duradoura para os pais e algum tipo de sinal de que seu súbito interesse pelo oculto não era apenas alguma aberração causada pelo estresse de ser incapaz de encontrar um emprego.

Algumas semanas depois, pelo menos uma de suas preces foi atendida. Em uma filial da biblioteca que ele nunca visitara antes, ele encontrou um livro grosso em capa dura chamado *Ed & Lorraine Warren: Demonologistas.*

Mais do que ele poderia ter imaginado, o livro que tinha em mãos mudaria a vida de Donald Bennett de um modo muito profundo.

24
ESTRANHAS PICADAS

Depois de sua experiência assustadora no quarto, Ed descobriu que a equipe também tivera a sua. Brady Cotter, que estivera carregando um equipamento de vídeo nas costas, sentira seus ombros serem empurrados primeiro para um lado e depois para outro por uma força que ele não conseguiu ver nem explicar.

Brady também teve a sensação de que eletricidade estava preenchendo a atmosfera do cômodo. Os pelos dos seus braços ficaram arrepiados.

Chris McKenna, já um especialista em demonologia, sabia exatamente o que estava acontecendo. "Um dos espíritos está sugando a sua energia. Você é como uma usina hidrelétrica para ele."

Lorraine, que entrara no cômodo, começou a rezar por Brady, e em pouco tempo a sensação de eletricidade percorrendo seu corpo o deixou.

Elas eram marcas de picadas muito estranhas.

Elas foram infligidas em Jack Smurl alguns dias antes quando ele estava no banho.

A princípio ele se perguntou se uma vespa não podia ter entrado no banheiro. Então se lembrou do mês. Vespas em fevereiro?

A picada seguinte fora tão grave que Jack gritara de dor.

Agora Chris McKenna estava tirando fotografias de uma picada na orelha de Jack.

"Quando ele desceu vindo do banheiro", explicou Janet, "toda sua orelha esquerda estava vermelha."

Ed Warren, observando enquanto Chris tirava fotografias para serem usadas como evidências posteriores, disse: "Quantas marcas de picadas ele tem?".

"Três", respondeu Janet.

"Ele está zombando da Trindade", explicou Ed. "Três coisas do mesmo tipo sempre simboliza a zombaria."

"Isso vai sumir?", perguntou Janet, ainda preocupada que a picada pudesse se tornar uma infecção grave.

"Tenho bastante certeza de que sim", respondeu Ed, "se continuarmos rezando."

Alguns dias depois, as picadas tinham sumido por completo. Mas essa foi uma das poucas boas notícias que os Smurl tiveram naquela semana. Simon, seu amado cachorro, foi levitado e durante o processo ficou tão assustado que Janet e Jack se perguntaram se um cão poderia ser levado à loucura. E Mary Smurl viu mais uma vez a estranha forma opaca e transparente em seu quarto, parada na soleira da porta como se a estivesse convocando para algum destino terrível.

LORRAINE WARREN

Quando nosso neto, Chris McKenna, retornou de uma visita aos Smurl no início da primavera, ele, Ed e eu nos sentamos para uma avaliação aprofundada da situação na casa, desde as batidas demoníacas que atormentavam suas noites aos efeitos psicológicos que a infestação estava exercendo sobre a família. Chris os considerou incrivelmente resilientes.

Um aspecto de suas dificuldades era consistente com o padrão clássico: Espíritos demoníacos costumam ser atraídos a casas onde garotas jovens estão passando pela puberdade. Os espíritos sugam esse tipo específico de energia que as garotas emitem, o nível emocional sendo muito alto e ideal para um espírito se alimentar.

O que não encaixava no padrão era o fato de os Smurl serem uma família feliz e religiosa. Para ser honesta, muitas, se não a maioria, das famílias que investigamos são qualquer coisa menos felizes ou religiosas. O que costumamos encontrar é alcoolismo e uso de drogas, adultérios, até mesmo abuso infantil, às vezes — cada um destes um ponto de entrada ideal para espíritos demoníacos.

Mas aqui nós tínhamos o mais diabólico dos demônios — acredite em mim, quando um demônio arranca um lustre do teto e quase mata uma garotinha com ele, nós estamos lidando com a forma mais séria de infestação —, e isso estava acontecendo com uma família que não tinha convidado os espíritos a entrar por meio de atividades do oculto ou de vidas pecaminosas. E agora tínhamos evidências completas para provar isso.

Chris e a equipe tinham passado longas noites, fins de semanas inteiros e incontáveis horas entrevistando, avaliando, fotografando e gravando os membros da família e os fenômenos estranhos.

Com certeza, uma das revelações mais estranhas que Chris tinha para nós naquela tarde primaveril, quando estávamos fazendo nossa avaliação final, foi a história que Jack lhe tinha contado.

Simon, o cachorro da família, tinha se desmaterializado bem diante dos olhos de Janet, e então, uivando, tinha retornado à existência mundana.

Não se pode medir o impacto horrível que isso deve ter tido em uma mulher tão sensível quanto Janet.

Mas, apesar de a desmaterialização ter sido dramática, é provável que não tenha sido mais impactante sobre o estado mental dos Smurl do que as constantes pancadas nas paredes, as portas batendo e os sussurros que os espíritos infligiam à família. Nossas equipes de pesquisa mantêm registros em intervalos de cinco minutos, portanto é possível traçar o nível exato da infestação ao longo de extensos períodos de tempo.

Com base nas anotações da equipe, e na avaliação articulada de Chris sobre a situação, decidimos proceder para um exorcismo completo da casa dos Smurl.

Devido a dois eventos particularmente terríveis, gostaríamos de ter agido mais cedo.

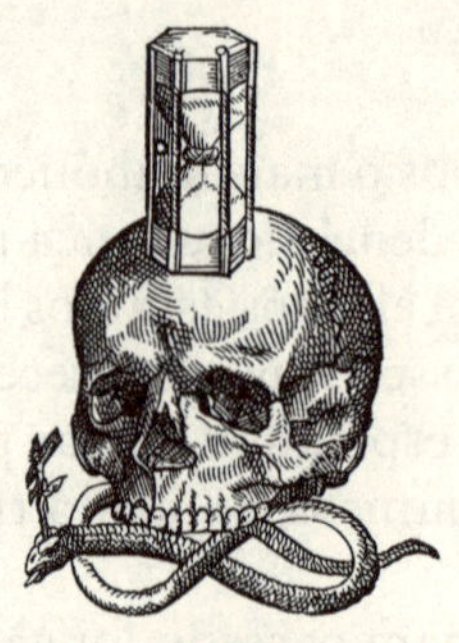

25
ESTUPRADO POR UM SÚCUBO

P: **Jack, você poderia descrever o que aconteceu na noite de 21 de junho?**
R: O mais surpreendente foi que a casa estivera bastante pacífica por dois ou três dias. Nós assistimos a um filme na TV, colocamos as meninas na cama, tomamos um pouco de limonada e depois subimos para ir dormir na cama.

P: **Qual foi o primeiro indício de que havia alguma coisa errada?**
R: O jeito que eu acordei, acho.

P: **Houve alguma coisa diferente?**
R: Sim, foi como se eu tivesse sido... Jogado de um penhasco ou algo assim. Sabe, como se alguma ação violenta tivesse me acordado.

P: **Pode descrever o que viu?**
R: A princípio eu não vi absolutamente nada. Só senti um tremendo tipo de pânico — não tinha certeza se estava tendo um pesadelo ou não.

P: **O que o convenceu de que não estava tendo um pesadelo?**
R: As escamas dela.

P: **[*Pausa.*] As escamas dela. Você quer dizer aquele tipo de escamas ofídicas — como as de uma cobra?**
R: Sim.

P: Você disse “dela”. Essas escamas estavam em uma mulher?
R: Sim.

P: Poderia descrevê-la?
R: [*Pausa na fita.*] Para ser honesto, odeio até pensar nela. [*Outra pausa.*] A pele dela era branca feito papel, mas era coberta em alguns lugares com a superfície escamosa que eu mencionei, e então em outras partes havia feridas abertas, do tipo que um leproso teria ou algo assim. E dessas feridas escorria pus.

P: Quantos anos a mulher tinha?
R: Eu estimaria por volta dos 65 ou 70. Não posso ter certeza.

P: A princípio o que mais você notou sobre ela?
R: Ela possuía cabelo comprido, branco e ressecado, os olhos eram todos vermelhos e o interior da boca e as gengivas eram verdes. Alguns dos dentes dela estavam faltando, mas aqueles que tinha eram muito longos e vampirescos.

P: E o corpo dela?
R: Isso foi a coisa mais estranha. O corpo em si era firme, sabe, como o de uma mulher mais jovem.

P: O que ela fez?
R: [*Longa pausa.*] Ela me paralisou de alguma maneira. Eu a vi saindo das sombras, indo até nossa cama, e pressenti o que ela ia fazer, mas não pude impedi-la.

P: E então?
R: Então ela subiu em cima de mim em uma posição dominante e começou a me cavalgar. Esse é o único jeito que consigo descrever.

P: Foi prazeroso?
R: Não, não. Na verdade, não me lembro de sentir absolutamente nada, apenas um completo pânico e pavor.

P: O que a Janet estava fazendo durante tudo isso?
R: Só depois de estar acordado por algum tempo que percebi que Janet tinha descido mais cedo para dormir no sofá, o que costuma fazer nos meses quentes.

P: E o súcubo? O que ela estava fazendo?
R: Chegando ao clímax sexual. Ela só olhou para mim e sorriu revelando aqueles dentes inacreditáveis. Eu tentei desviar o olhar, mas alguma coisa manteve meus olhos sobre ela. Pude perceber quando ela estava tendo orgasmos porque ela dava pequeno solavancos e seu sorriso se alargava.

P: Ela estava tendo orgasmos?
R: Ah, sim, dava para perceber por causa de suas expressões e de seus movimentos.

P: O que aconteceu depois?
R: Ela desapareceu.

P: Assim de repente?
R: Assim de repente. Simplesmente desapareceu. E foi então que notei a substância grudenta por todo meu corpo.

P: Substância gosmenta?
R: Sim. Suponho que você teria que comparar com sêmen, a textura dela, pelo menos. Ela foi emitida pela vagina da criatura. E eu também estava dolorido.

P: Dolorido?
R: Sim, como seu eu tivesse tido sexo prolongado, embora tivesse durado apenas alguns minutos. Mas então comecei a me perguntar se eu não tinha desmaiado durante o ato ou algo assim, porque, como eu disse, minha genitália estava extremamente dolorida.

P: Você fazia alguma ideia do que tinha acontecido?
R: Eu liguei para Ed Warren de manhã, e ele me contou tudo sobre os súcubos, que eles não têm nenhum gênero, mas que um demônio que estupra um homem é conhecido como súcubo e o que estupra uma mulher é conhecido como íncubo.

P: O que aconteceu a seguir?
R: Fui ao banheiro e examinei todo meu corpo. O fluído em mim tinha um odor muito pungente. Tomei um banho e o lavei o mais rápido que pude. Tive que esfregar com muita força. Depois fui ao primeiro andar e contei para a Janet o que tinha acontecido.

P: Qual foi a reação dela?

R: Ela começou a chorar e disse que custasse o que custasse, ela iria fazer com que a igreja se envolvesse em nosso problema e nos ajudasse a resolvê-lo. Disse que a primeira coisa que faria de manhã seria ligar para a cúria diocesana. [*Pausa.*] Então algo ainda mais estranho aconteceu.

P: O quê?

R: Na manhã seguinte, durante o café da manhã, minha filha Dawn contou um sonho que ela tivera no qual eu era atacado por uma mulher horrível e feia. [*Pausa.*] Ela viu uma mulher horrível com dentes faltando e feridas por todo o corpo fazendo sexo comigo. O mais estranho foi que eu não tinha contado às meninas sobre o ataque. Não era possível que Dawn tivesse ficado sabendo do meu estupro a não ser por meio de seu pesadelo. Tanto Janet quanto eu ficamos muito assustados e transtornados com isso. Isso só pareceu fazer com que fosse ainda mais importante que Janet ligasse para a cúria diocesana.

P: Então ela ligou?

R: Sim. No dia seguinte.

P: Eles cooperaram?

R: Não — acabou sendo quase tão assustador quanto o súcubo em si.

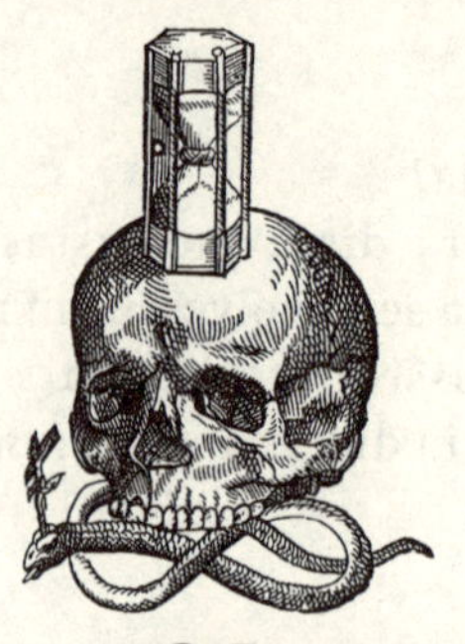

26
TELEFONEMA PROMISSOR

A Igreja Católica Romana é uma burocracia em todos os sentidos da palavra. O poder é delegado em níveis variados a partir do Vaticano a literalmente todos os cantos do mundo.

Seguindo-se ao ataque do súcubo, que provou tanto para os Smurl quanto para os Warren que o demônio estava aumentando a gravidade de seus ataques, Janet Smurl resolveu fazer a igreja se envolver de maneira direta na assombração, custasse o que custasse.

"Acho que eu estava um pouco zangada quando telefonei naquela manhã. Eu fora uma católica fiel toda a minha vida, mas minha igreja não estava ajudando de forma alguma." Janet sorri. "Demoro para ficar com raiva, mas uma vez que me exalto, posso ser bastante formidável."

Janet estava preparada para apresentar seu caso de modo argumentativo, se fosse preciso.

Com Jack no trabalho, as crianças na escola, ela se sentou ao lado do telefone, procurou o número da cúria diocesana e ligou.

A recepcionista colocou Janet na espera e alguns minutos depois um homem, que se identificou como padre Callaway, atendeu o telefone.

"Bom dia", disse o padre. Ele soou robusto, inteligente e amigável.

"Olá, padre. Meu nome é Janet Smurl. Sou uma paroquiana de West Pittston."

"Essa é uma cidade agradável."

"Sim, é mesmo, padre." Ela se endireitou e disse: "Padre, preciso conversar com o senhor sobre alguns problemas que estamos tendo por aqui".

"Problemas familiares?"

"Não exatamente, padre. É sobre uma assombração."

Houve um breve silêncio no outro lado. "Uma assombração. Entendo."

"Não sou uma mulher histérica, padre."

"Tenho certeza de que não é, Janet. Por que não me conta a respeito?"

"Então você acredita em assombrações, padre?"

"Acredito, com certeza."

Janet mal podia acreditar no que estava ouvindo. Ela estivera preparada para uma batalha. Aquele padre não estava discutindo com ela ou evadindo suas perguntas, ele estava concordando com ela.

"Está sendo terrível", disse Janet, deixando alguns de seus sentimentos transparecerem em sua voz de uma maneira clara.

"Por que não me conta a respeito, querida?"

Portanto, Janet lhe contou. Tudo. Desde as primeiras batidas na parede à cadeira de balanço que rangia sozinha, como se alguém invisível estivesse sentado nela — ao estupro da noite anterior.

"Isso é muito grave", comentou o padre Callaway. "Muito grave."

"E o problema é o seguinte, nós não conseguimos ninguém da igreja para nos ajudar. Não de um jeito sério, enfim."

"E se eu apelar para o chanceler?"

"Está falando sério?"

"Sim", respondeu o padre Callaway. "Estou falando muito sério. E ficarei feliz em expor o caso por você. Acredito que assim que os fatos forem dispostos, o chanceler ficará muito interessado neste caso."

"Chega a ser bom demais para ser verdade", disse Janet, sentindo esperança pela primeira vez em muitos longos e sombrios meses.

"Por que não me deixa conversar um pouco com o chanceler e então você pode me ligar amanhã de manhã. O que acha disso?"

"Isso seria ótimo, padre." Os olhos de Janet ficaram marejados. "Não posso lhe agradecer o suficiente, padre."

Com gentileza, o padre disse: "Apenas me ligue amanhã, querida".

Quando Jack chegou em casa naquela noite, Janet correu para lhe contar as novidades sobre o padre Callaway e o quanto ele fora prestativo.

Logo o próprio Jack estava ao telefone, ligando para um amigo que conhecia muitas pessoas na cúria diocesana. O amigo estivera cético quanto aos oficiais da igreja lhes prestando alguma ajuda. Quando Jack contou ao homem a respeito do padre Callaway, o amigo disse: "Nunca ouvi falar de nenhum padre Callaway lá".

"Bem, Janet falou com ele", disse Jack na defensiva.

"Tem certeza de que o nome era Callaway?"
"Certeza."
"Vou te dizer uma coisa, Jack. Por que você não me deixa dar uma verificada e depois te ligo de volta."
Jack deu uma risada amarga. "Estamos finalmente conseguindo um pouco de cooperação e você quer estragar as coisas."
"Só quero ter certeza de que tudo está nos eixos."
"Tudo bem", concordou Jack, "me liga de volta então."

Vinte minutos depois, o telefone tocou. Era o amigo de Jack.
"Liguei para um padre que é um amigo meu e que conhece todo mundo na cúria diocesana."
"E?"
"E não tem nenhum padre Callaway." Ele suspirou. "Sinto muito, Jack."
"Mas Janet conversou com ele."
"Sinto muito, Jack. Mas, ouça, eu tenho o nome de uma pessoa da cúria diocesana para você. Padre Emmett Doyle. Ele é chanceler da cúria de Scranton. Ele é um cara muito decente, Jack. De verdade."
Foi assim que no dia seguinte Janet Smurl voltou a ligar para a cúria diocesana. Dessa vez pediu para falar com o padre Emmett Doyle.
Ele ouviu com educação enquanto Janet lhe contava, primeiro, sobre conversar com um tal de padre Callaway no dia anterior, e depois sobre a assombração que estavam vivenciando.
"Padre Callaway, você disse?"
"Sim, padre."
"Eu gostaria de lhe dizer que há um padre Callaway aqui, mas sinto lhe dizer que não há."
Então o amigo de Jack estivera certo, no fim das contas, uma possibilidade que Janet estivera tentando negar desde a noite anterior.
"Você conhece muitas coisas sobre assombrações, padre?"
Do mesmo modo que outros padres tinham reagido quando ela mencionara o sobrenatural, a voz do clérigo se tornou tensa e reservada. "Estou familiarizado com o fenômeno, sim."
Neste momento, Janet se deu conta de que o demônio poderia estar fazendo hora extra. Seria possível que ele tivesse conversado com Janet ao telefone usando a voz de um tal de padre Callaway, deste modo não apenas fazendo-a de boba e enchendo-a de falsas esperanças, mas também manchando sua credibilidade com aquele padre, o chanceler?

"Isso aconteceu de verdade, padre. Eu realmente conversei com um tal de padre Callaway." Ela notou como sua voz soou lamuriosa e sentiu vergonha de si mesma.

"Por que eu não levo esse assunto em consideração, sra. Smurl, e ligo de volta para você amanhã? O que acha disso?"

"Isso seria ótimo. Eu agradeço muito."

Naquela noite os espíritos ficaram quietos. Os Smurl tiveram um jantar calmo com costeletas de porco, batatas fritas e salada. Eles estavam animados pelo prospecto da igreja intervir, afinal. A conversa de Janet com o próprio chanceler tinha melhorado de uma maneira considerável o estado de espírito de toda a família.

No dia seguinte Janet passou o dia todo ao lado do telefone.

Ela estava com tanto medo de perder a ligação que não passou o aspirador, temendo que o barulho abafasse o telefone. Quando ia ao banheiro, deixava a porta aberta. Mesmo quando lavava a louça, ela deixava a água correndo devagar para que o barulho não se transformasse em um rugido.

A cada vez que o telefone tocava ela mergulhava até ele, apenas para se decepcionar com a identidade de quem estivesse ligando.

Nunca era a diocese.

Assim que Jack passou pela porta, disse: "Oi, querida". Ele a beijou na bochecha e então notou a tristeza em seus olhos. "Qual é o problema?"

"Ele não ligou."

"O quê?"

"Ele não ligou."

"Mas ele prometeu."

Janet apenas balançou a cabeça. "Que grande promessa."

Deitados naquela noite, Janet, ainda deprimida, disse: "A igreja nunca vai nos ajudar, vai?".

"Eu gostaria de poder dizer que sim, mas receio que a resposta seja não."

Infelizmente, as palavras de Jack se provariam verdadeiras.

A igreja oficial nunca seria de nenhuma grande ajuda, apesar de finalmente despachar um padre para satisfazer o clamor dos amigos católicos dos Smurl.

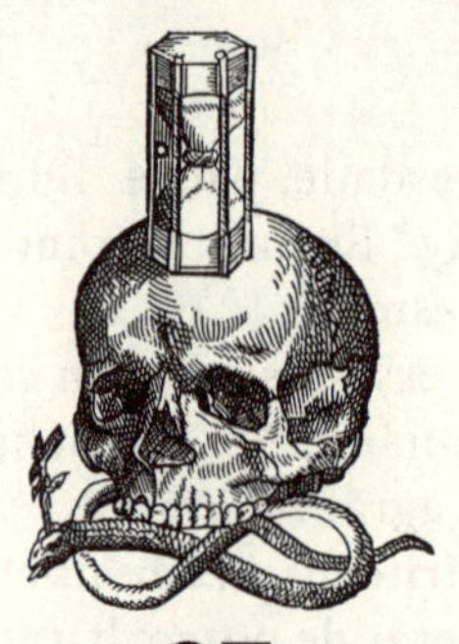

27
A DESCOBERTA DE CHRIS

Com 1,83 metro, 117 kg, Chris McKenna é um homem de um riso fácil que costuma ser direcionado a si mesmo e ao seu gosto por comidas calóricas.

Como demonologista profissional, Chris sem demora tornou-se um amigo íntimo dos Smurl, pois era uma boa companhia e era de grande ajuda para explicar todos os barulhos e visões terríveis que estiveram dominando a casa da família.

Na semana em que Janet conversou com o "padre Callaway", Chris passou muitas horas na casa dos Smurl e seu diário descreve os seguintes fenômenos:

- Pancadas fortes na casa de John e Mary e o som de cascos de animais — quase um som de "pocotó", correndo pelas paredes e do teto da casa geminada;
- Segurando um crucifixo próximo aos estranhos sons de batidas na parede e assim expulsando o demônio;
- Arranhões no lado de Mary da casa que soavam como ratos dentro das paredes;
- Uma queda na temperatura que quase congelou Janet e Chris enquanto eles tentavam "liberar" os quartos dos demônios;
- Um fedor inacreditável que surgiu quando Chris começou a cantar para encher um quarto com o amor de Cristo, um fedor que obrigou todos a descerem ao primeiro andar;
- Janet sendo imobilizada por alguma força invisível ("Não consigo me mexer", ela disse a Chris quando ele lhe pediu que atravessasse o cômodo. "Parece que água corrente está me impedindo.");

- Vapor saindo da boca de Chris como se ele estivesse parado em temperaturas abaixo de zero, embora o cômodo no qual Chris e Jack se encontravam estivesse marcando aproximadamente 22°C.

"A infestação piorou de verdade por aqui", reportou Chris aos Warren pelo telefone. "Não sei se eles vão aguentar muito mais. Houve até evidências de um íncubo."

Chris então relatou a eles o incidente no qual Janet, adormecida, fora atacada sexualmente, mas não estuprada. Ele também tocou para eles uma fita muito perturbadora. Depois de gravar os ruídos agourentos de batidas nas paredes, Chris captara algo com o qual ele não tinha contado. Conforme a fita se desenrolava, era possível ouvir os sons de porcos grunhindo.

Lorraine e Ed, ouvindo em extensões no outro lado, perceberam que nas mais graves infestações, o grunhido de porcos é um som conhecido, porcos sempre simbolizando uma inclemente presença demoníaca.

"Temos que fazer alguma coisa", disse Chris.

Soturno, Ed respondeu: "Temos, sim, Chris. E rápido".

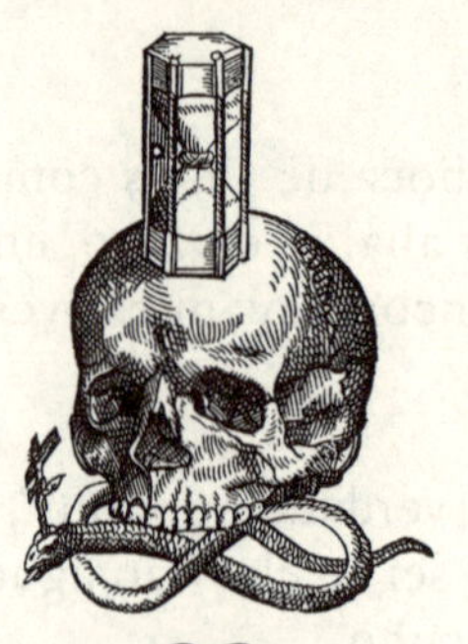

28
O PRIMEIRO EXORCISMO

De todos os rituais da Igreja Católica Romana, nenhum é mais complexo do que o exorcismo. O padre que realizará a cerimônia deve se certificar de antemão de que todos os membros da família estão em estado de graça e dispostos a se entregarem por completo ao poder de cura do sangue de Cristo.

Na experiência dos Warren, alguns exorcismos não dão certo porque as famílias envolvidas não foram honestas ao se declararem puras de espírito, e em outros casos as forças demoníacas são tão fortes que simplesmente não podem ser subjugadas.

O padre que os Warren chamaram para ajudar com o ritual foi o padre Robert F. McKenna, de Monroe, Connecticut. Ele era um tradicionalista, o que significa que rompeu com a igreja depois do Concílio Vaticano II, 25 anos antes, quando Roma insistiu que a missa fosse realizada em inglês e que outras mudanças fundamentais na fé também fossem feitas. O padre McKenna descobriu que muitos católicos leigos concordavam com ele. Sua paróquia ficava cheia de fiéis que escolheram seguir os modos antigos todos os domingos de manhã.

O exorcismo, como os Warren alertaram aos Smurl, enfurecia o demônio, que sabia o que estava prestes a acontecer.

Na noite que precedeu a cerimônia, Jack encontrou duas mulheres estranhas e brilhantes, uma ao que parecia na casa dos 40 anos, a outra na casa dos 20, usando toucas e vestidos longos, paradas ao pé da cama. Elas eram, claro, as mesmas duas mulheres que o tinham visitado alguns meses antes.

Dessa vez, contudo, elas estavam acompanhadas de um homem com cabelo louro-claro e rugas de meia-idade no rosto.

Quando Jack tentou se sentar e gritar para que saíssem do quarto, ele descobriu que as entidades o tinham paralisado.

"Eu fiquei paralisado enquanto eles ficaram ali conversando entre si. Então o homem se inclinou para frente e agitou o dedo para mim. 'Você vai pagar por isso!', disse ele. Era óbvio que ele estava muito zangado."

Os três visitantes permaneceram no quarto por mais cinco minutos, sussurrando, apontando até, e em um determinado momento, rindo dele.

Então o homem do trio pareceu se zangar de novo, o rosto retorcido em uma expressão de fúria absoluta. "Como eu disse, você vai pagar por isso", repetiu ele, e então eles desapareceram tão de repente quanto tinham aparecido.

Depois de alguns minutos, sentidos e movimentos retornaram aos membros de Jack. Ele acordou Janet e lhe contou o que tinha acontecido. Eles passaram o resto da noite aconchegados um nos braços do outro.

Enquanto a equipe de pesquisa ia separada até a casa dos Smurl, Ed e Lorraine iam de van na direção da fronteira do estado de Nova York.

Mas de repente, Ed, que estava dirigindo, foi tomado por cãibras e uma febre alta. Sua visão ficou borrada e ele ficou tão fraco que teve que parar no acostamento.

"Qual é o problema, querido?", perguntou Lorraine, obviamente preocupada.

"Algum vírus. Você sabe como a gripe pode chegar de repente."

Sim, Lorraine pensou. Gripe ou — outras coisas.

Eles ficaram sentados na lateral da estrada observando os carros passando rápido à luz brilhante do dia.

Por fim, Lorraine disse: "Meu bem, acho melhor nós voltarmos".

"Odeio fazer isso", disse Ed. Mas sua voz refletia seu estado. Ela quase não o ouviu.

Lorraine saiu da van, deu a volta até o lado do motorista e assumiu a direção.

Ela sabia que havia apenas um lugar para Ed àquela altura — a cama.

Ela encontrou a rampa de saída e seguiu de volta para casa.

Nas horas que precederam a cerimônia, os Smurl andaram pela casa abrindo as portas dos armários, closets e de qualquer outro lugar onde os espíritos poderiam se esconder enquanto o rito sagrado estivesse sendo realizado.

Ao longo da manhã, os Smurl estiveram especulando sobre como seria a cerimônia. Os filmes e a televisão gostavam de exagerar tais coisas. Por essa razão, Janet e Jack estavam apreensivos em relação ao que iria realmente acontecer.

Quando visitaram John e Mary no outro lado da casa geminada, descobriram que o casal mais velho compartilhava sua ansiedade. Eles consolaram uns aos outros relembrando todas as coisas reconfortantes que os Warren tinham dito sobre o padre McKenna.

Janet foi a primeira a voltar para seu lado da casa, e quando chegou à cozinha encontrou o cômodo carregado com o aroma de rosas. Depressa, ela chamou Jack e Dawn da varanda da frente. Eles também sentiram o aroma intenso e adocicado de rosas. Janet foi dominada por um otimismo que não sentia há mais de um ano. Até mesmo o prospecto de um exorcismo estava enchendo a casa com o amor de Deus e expulsando o demônio.

Às 14h daquela tarde, o padre McKenna, de 59 anos, encostou diante da casa geminada dos Smurl e estacionou o carro. Ele é um homem de cabelo louro-claro, óculos e uma voz gentil; suas mãos grandes e fortes refletiam sua força interior. Ele crescera trabalhando duro, e aqueles anos de pura dedicação o tinham ajudado durante a realização fisicamente exaustiva de mais de cinquenta exorcismos, vinte dos quais bem-sucedidos.

O padre se apresentou a todos aqueles reunidos na sala de estar — Jack, Janet, Dawn, Kim, Shannon, Carin, John e Mary Smurl, e Brad da equipe dos Warren.

Os Smurl tinham transformado uma mesa em um altar. O padre lhes contara como, depois de combinar os ritos de exorcismo com a realização da missa no estilo tradicional em latim, o demônio iria, esperava-se, fugir.

"Precisamos rezar com mais afinco do que já rezamos em nossas vidas", disse o padre McKenna enquanto abria a valise de couro preto no qual ele guardava as velas do altar, as galhetas para a água e o vinho, um missal e o suporte para o missal, pequenas sinetas e um cálice de ouro. Conforme o padre arrumava os diversos artigos que precisava para rezar a missa, o cômodo adquiriu a aparência de uma pequena capela com nove paroquianos reunidos para um ritual especial.

Mais uma vez o padre disse: "Peço a vocês que rezem pela salvação de suas almas e pela expulsão dos demônios. Também peço a vocês que não me ofereçam nada de valor monetário, porque isso pode dificultar o exorcismo".

Então ele subiu até o quarto de Dawn e Kim e vestiu seus paramentos. Quando voltou ao primeiro andar, ele vestia um hábito de lã branca da ordem dominicana e a túnica do paramento que descia até os tornozelos. Uma estola roxa de seda cobria o pescoço e os ombros e em volta da cintura havia um grande rosário de quinze décadas, com as contas pendendo de um cinto no lado esquerdo do corpo.

O exorcismo estava prestes a começar, um dos verdadeiros antigos rituais da Igreja Católica Romana. A estola roxa que o padre usa em volta do pescoço simboliza penitência e, portanto, a humildade, o padre implorando a Deus por meio de preces que Ele liberte a casa ou a pessoa infestada. Da mesma forma, parte do ritual consiste em adjurações ao diabo, exigindo que Satã, em nome de Cristo, da Virgem Abençoada e de todos os santos, deixe a pessoa ou a casa de imediato. Em alguns casos, o ritual consiste no padre exigindo que o espírito ou espíritos que causaram a infestação se manifestem e se identifiquem. (O bispo McKenna, por exemplo, conversou com muitos demônios no decorrer dos exorcismos que realizou.) Por fim, há os instrumentos que o padre usa: água benta, um crucifixo e uma relíquia de um santo, a qual é aplicada sobre o corpo da mesma maneira — levada à cabeça ou ao peito, por exemplo — no decorrer do exorcismo. Apesar das representações vistas em filmes recentes, não há entoações ou cantos nos exorcismos. O padre reza em uma voz alta e potente e, no caso do bispo McKenna, o faz em latim. *Dominus vobiscum* (o Senhor esteja convosco). O ritual começa.

"Agora", disse o padre McKenna, "vou entrar em todos os cômodos dos dois lados da casa geminada e recitarei as preces de exorcismo. Depois vou aspergir os cômodos com água benta." Ele explicou que gostaria que Janet e Jack o acompanhassem em suas rondas e que também iria exorcizar o porão, o sótão, o comprido quintal dos fundos e o pequeno jardim frontal.

A primeira parada foi no quarto de Janet e Jack.

"Ecce crucem Domini, fugite partes adversae", disse o padre em latim. Em português isso significa: "Contemplem a cruz do Senhor, fujam, hostis inimigos".

Enquanto ouviam o longo discurso que o padre dirigia tanto a Deus quanto a Satã — "Prendeu o dragão, a antiga serpente, que é o Diabo e Satanás, e lançou-o no abismo, e ali o encerrou para que não mais engane as nações" —, Jack e Janet temiam que o demônio pudesse escolher aquele momento para atear fogo no quarto ou algo igualmente drástico.

Mas não houve nenhum sinal do demônio conforme iam de cômodo em cômodo, e, por fim, voltaram ao primeiro andar, onde Jack, que fora um coroinha, auxiliou o padre McKenna a rezar uma tradicional missa em latim.

Então seus temores foram confirmados.

Enquanto Janet e Jack se ajoelhavam diante do altar improvisado, eles ouviram, vindos do segundo andar, os sons de uma criança dando chilique. Uma criança muito nova. Uma que não pertencia ao lar dos Smurl. Então, da cozinha, eles ouviram as portas do armário começarem a se fechar com altos estrondos. Diante deles, bem atrás do padre McKenna, bibelôs e plantas começaram a vibrar.

O padre McKenna apenas entoou as preces da missa ainda mais alto, como se quisesse contrariar Satã. Janet e Jack deram-se as mãos e rezaram como nunca tinham rezado antes.

A fúria da criança no andar de cima ficou mais alta.

O padre ergueu o cálice, celebrando o Filho do Homem e o Filho de Deus.

E então por fim as aberrações cessaram.

A voz irada da criança não podia mais ser ouvida. A casa parou de tremer. E o aroma de rosas podia ser sentido mais uma vez.

Por ora, de qualquer maneira, a força da oração pareceu ser mais poderosa do que a força das trevas.

Depois de ter concluído a missa, o padre McKenna pediu que os Smurl enchessem um balde com água. Ele abençoou a água e lhes disse para aspergi-la caso algum distúrbio sobrenatural irrompesse depois de ele ter ido embora.

Como preparação para o exorcismo, o padre McKenna fizera um jejum parcial durante três dias, comendo apenas uma refeição completa por dia. Janet se ofereceu para lhe preparar o jantar, mas o padre tomou apenas uma xícara de chocolate quente e comeu um pedaço de bolo.

Os Smurl disseram ao padre o quanto estavam agradecidos pelo que ele fizera por eles.

Em resposta, o padre McKenna realçou o fato de que eles não deveriam dar ao demônio "reconhecimento".

"Essa é a pior coisa que vocês podem fazer", contou-lhes.

"Mas é difícil não falar sobre isso", disse Jack. "Para todos nós."

"É aí que vocês devem ajudar uns aos outros", explicou o amigável padre. "Certifiquem-se de não mencioná-lo, e acho que as coisas ficarão melhores para vocês."

Então o padre McKenna deu uma bênção geral na casa e disse: "Devo ir embora agora".

Janet foi até ele e segurou seu braço. "Não sabemos como lhe agradecer, padre."

O aroma de rosas vindo da cozinha espalhou-se. As meninas sorriram e se despediram do padre. Havia o sentimento de que tinham passado por algum tipo de teste naquele dia, que o Diabo os tinha empurrado até a beirada do precipício, mas eles não tinham caído. Como uma família, eles tinham permanecido devotos, virtuosos e inabalados.

"Adeus", disse o padre.

Eles o acompanharam até o carro, Janet ainda oferecendo diversas comidas que ela poderia embrulhar para ele.

O padre sorriu e recusou. "Negar a si mesmo faz bem tanto para o corpo quanto para a alma."

Ele deu partida no carro, acenou para eles e foi embora.

Os Smurl voltaram para dentro. Havia uma sensação definitiva de júbilo em ambos os lados da casa geminada.

Poderia o demônio ter sido banido?

De um jeito ou de outro, os dias vindouros lhes dariam um sinal claro.

ED WARREN

Lorraine e eu permanecemos em constante contato com os Smurl nas horas e nos dias que se seguiram ao exorcismo. Eu apenas aos poucos superei a doença misteriosa que nos forçou a voltar da missa do padre McKenna, e mesmo depois de três dias eu estava tendo problemas para manter a comida no estômago e para andar (um som de zumbido preenchia minha cabeça).

Infelizmente, as notícias dos Smurl não eram boas, confirmando o quão poderoso o demônio com o qual estávamos lidando realmente era.

Ao nosso arquivo dos Smurl foram adicionados os seguintes itens:

- Batidas e silvos foram relatados por Mary Smurl em seu lado da casa geminada;
- O cheiro de esgoto a céu aberto sobrepujou Mary Smurl enquanto ela estava fazendo as tarefas domésticas certo dia;
- Roupas começaram a desaparecer do quarto de Dawn, causando uma briga entre ela e Kim. Por fim, elas perceberam que o demônio estava mais uma vez "escondendo" coisas para causar confusões entre os membros da família;
- Dawn observou enquanto brincos se erguiam sozinhos de sua caixa de joias e começavam a voar diante de seus olhos;
- A família se tornou tão intimidada por uma sensação de que o demônio estava na casa que eles passaram a ir até a garagem para conversar sobre ele a fim de não lhe dar reconhecimento.

No meio disso tudo, os Smurl tiveram que lidar com mais outro problema.

Certa noite, Janet nos telefonou e disse, em lágrimas: "A pequena Carin está tão doente que perdeu três quilos em menos de 36 horas. Tudo o que Jack e eu conseguimos pensar é naquele homem que apareceu e disse: 'Vocês vão pagar por isso!' É o demônio se vigando de nós, não é?".

Eu tentei permanecer o mais calmo, e reconfortante, que pude, mas as notícias ao longo dos dias seguintes eram do tipo que podiam ser devastadoras para os pais.

Carin Smurl ficou tão doente que teve que ser hospitalizada durante uma semana. Os médicos fizeram tudo que podiam, mas a princípio nada parecia ajudar a diminuir a febre ou impedi-la de perder peso.

Enfim, Janet ligou uma noite e disse: "Graças a Deus, Ed, a febre dela cedeu".

Por fim, os médicos assumiram o controle sobre a vida da menininha.

Mas àquela altura nós sabíamos com tristeza e com certeza, assim como o padre McKenna, que o exorcismo falhara.

Não tínhamos ideia de que a doença de Carin tinha sido causada pela infestação, mas mesmo que não tivesse, todos os outros sinais apontavam para um demônio cheio de si e ainda muito presente na casa dos Smurl.

Donald Bennett diz que, dois dias depois de ler sobre Ed e Lorraine Warren, ele entrou em contato com a dupla em seu escritório e lhes contou o quanto ele havia se interessado pelo campo do paranormal. “Ao contrário dos outros que eu tinha conhecido, eu os considerei muito humanos e, bem, ‘normais’, você diria, acho. O que gostei neles de imediato foi que, embora levassem o que faziam muito a sério, eles também riam bastante. Eles tinham uma perspectiva real sobre seu trabalho, e isso me deixou confortável logo de cara. Eu queria saber tudo o que podia sobre eles e seu trabalho, então eles sugeriram que eu começasse assistindo a uma de suas palestras. ‘Muitas pessoas se interessam por demonologia’, Lorraine me disse, ‘mas poucos seguem em frente com isso. Acho que você vai entender o porquê quando assistir a uma de nossas palestras.’”

Uma semana e meia depois, Donald Bennett dirigiu o Dodge de seus pais até uma faculdade no norte do estado onde encontrou um auditório lotado de pessoas de todas as idades, não apenas os estudantes que ele esperara.

Devido à temperatura abaixo de zero no lado de fora, as janelas estavam cobertas de geada que o luar transformou em prata quando as luzes diminuíram, e os Warren iniciaram a primeira parte da palestra, uma exibição de slides.

“Eu nunca tinha visto ou ouvido nada como aquilo”, diz Donald Bennett. “Ali havia evidências físicas, slide após slide, de que os mundos paranormais de que ouvimos falar realmente existem, apresentados de uma maneira calma e racional. Havia slides sobre fantasmas e slides sobre luzes psíquicas e slides sobre objetos levitando e se materializando. Ed falou sobre ver uma geladeira de 180 kg ser erguida do chão por forças invisíveis, de um aparelho de televisão ser erguido e em seguida lançado ao chão, e sobre se envolver com os Lutz, a família cuja provação se tornou conhecida como ‘Horror em Amityville’.

“Depois de os Warren concluírem a exibição dos slides, eles responderam às perguntas do público, e eu nunca tinha imaginado que tantas pessoas tivessem tido experiências paranormais, mas ali estavam todas aquelas pessoas — algumas delas muito bem-educadas e bem-vestidas, algumas pobres e não muito articuladas —, compartilhando experiências em um cenário quase parecido com um grupo de apoio. A noite não poderia ter sido longa o bastante para mim.

Infelizmente, devido à nevasca que estava se formando no lado de fora, tudo teve que ser interrompido depois de duas horas. Depois, enquanto os Warren estavam se agasalhando para a viagem de volta para casa, eu fui até eles e disse que estava interessado em me tornar um demonologista. Lorraine e Ed pareceram muito felizes com isso, mas Lorraine me alertou outra vez: 'Nem todos seguem o programa, Donald'. 'Por quê?', perguntei. Ela olhou para Ed e respondeu: 'Medo. Simples assim. Há muito estresse envolvido, como você irá descobrir'. Mas eu não estava prestando muita atenção. Tudo o que eu queria ouvir era que eles me aceitariam como um de seus alunos. 'Então, posso ir até o escritório de vocês?', perguntei. Ed estendeu a mão, riu e deu tapinhas em minhas costas. Ele disse: 'Bem-vindo a bordo, Donald'."

Eles marcaram uma reunião para dali uma semana, quando outros iriam se reunir na casa dos Warren, e mais uma vez Donald se viu contando os minutos, as horas, os dias até a encontro finalmente acontecer.

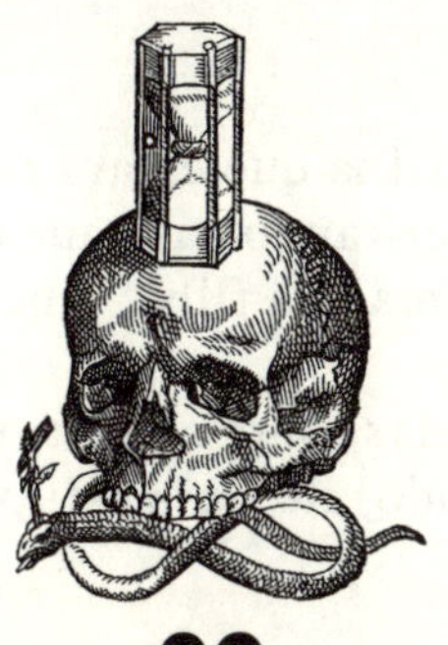

29
DEMÔNIO NO CHUVEIRO

Após o exorcismo, os Smurl estavam naturalmente otimistas a respeito do futuro. O aroma de rosas perdurou, as paredes estavam quietas.

Por algumas horas pelo menos.

Durante esse tempo, o telefone quase não parou de tocar. Àquela altura, havia muitos em West Pittston que estavam cientes do que estava acontecendo com os Smurl. Eles ligaram, como amigos preocupados, para ver como a família estava passando após os ritos religiosos.

Aqueles que ligaram seis dias depois do exorcismo ficaram sabendo da doença de Carin. Aqueles que ligaram alguns dias depois ficaram ainda mais chocados.

Dawn, de 16 anos, estava no banheiro. Ela tirara as roupas, se preparando para tomar banho. Ela se recordaria mais tarde de ter ouvido uma batida na parede, mas supôs que não era nada fora do normal — o demônio lembrando a família de sua presença constante.

Dawn abriu a torneira do chuveiro, experimentando a água para que chegasse à temperatura certa, então entrou no banho. Ela se ensaboou e inclinou a cabeça para trás até encostá-la na parede, deixando a água borrifar seu rosto. Ela sentia-se relaxada depois de um longo dia na escola.

Então sentiu alguma coisa agarrar seus braços.

Naquele momento, à sua frente ela sentia uma presença, uma entidade invisível que se esfregava contra ela do modo como um homem faria. Sua intenção era clara.

Por enquanto, contudo, a entidade se contentou em apertar os braços dela até seus olhos se encherem de lágrimas de dor.

Ela rechaçou a entidade, em seguida se jogou através da cortina de plástico do chuveiro. Na mesma hora começou a gritar pelos pais.

Ela arrebatou uma toalha que estava no toalheiro e correu para fora do banheiro, ainda gritando para que os pais a ajudassem.

Depois de terem acalmado a filha, Janet e Jack começaram a lhe fazer perguntas.

Eles não tinham dúvidas sobre o que tinha acontecido. Se o íncubo tivesse se materializado, ele teria estuprado sua filha de 16 anos em sua própria casa.

LORRAINE WARREN

Ed manteve um contato constante com os Smurl após Dawn quase ter sido estuprada. Diversos membros da equipe revezaram-se para fazer a viagem até West Pittston.

O que eles reportaram não foi animador.

- O demônio continua vagando de um lado da casa para outro, infligindo ao corpo de John Smurl uma queda na temperatura corporal tão severa que nem mesmo diversos cobertores conseguiram impedi-lo de tremer, os dentes literalmente batendo apesar dos melhores esforços de sua esposa, Mary, para aquecê-lo;
- Janet acordou certa manhã com marcas de arranhões no braço direito. As marcas tinham quase 5 cm de comprimento. Um de seus dedos estava inchado e tinha uma marca de perfuração, como se ela tivesse sido picada por alguma coisa;
- Mary Smurl também encontrou marcas de cortes em seus braços;
- Certo dia, antes de sair para fazer compras, Janet deixou o cachorro da família, Simon, no quintal, o qual é delimitado por uma cerca de arame. Janet trancou todas as portas da casa. Não tinha como o cachorro ter voltado para dentro, mesmo assim, quando voltou, encontrou Simon na sala de estar;
- Um íncubo começou a tomar forma dentro da banheira enquanto Janet tomava banho certa noite, uma criatura de não mais de 90 cm de altura com um revestimento gelatinoso cobrindo o corpo nodoso. Antes de ele poder se materializar por completo, Janet pulou para fora da banheira, se enrolou em uma toalha e atravessou o corredor indo rapidamente até o quarto;
- Mary Smurl contou para Janet que as torneiras da casa estiveram abrindo e fechando sozinhas, e panelas e frigideiras estavam sumindo. Ela também se deparou com um fedor tão ruim

em seu quarto que não conseguiu entrar no cômodo. Janet pegou a água benta que o padre McKenna lhe dera e disse para o demônio: "Ordeno que vá embora". Quase de imediato elas puderam sentir o cheiro demoníaco deixar aquele cômodo e entrar no próximo. Elas foram de cômodo em cômodo, rezando e aspergindo água benta. Por fim, o cheiro se foi;

- No caminho de volta do supermercado, certo dia, Janet notou o cheiro de lixo podre invadindo o carro da família. Ela parou no acostamento, pegou a água benta que levava consigo o tempo todo e expulsou o odor;
- Aparições passaram a atormentar os Smurl de novo. Um dia, por exemplo, Jack estava assistindo televisão quando viu um jovem, na casa dos 25 anos, com cabelo louro comprido e um sorriso desagradável, observando-o do outro lado da sala. Quando Jack começou a se levantar da cadeira, o jovem desapareceu;
- Jack mais uma vez foi erguido de sua cama e em seguida jogado com brutalidade no chão;
- Um parente de visita estava passando na frente da casa geminada dos Smurl quando viu uma mulher idosa com cabelo branco muito comprido parada à janela, encarando-o. A mulher começou a levitar e a flutuar de um lado a outro diante dos olhos perplexos do homem;
- Mary Smurl viu de novo a forma escura sem rosto e dessa vez ficou tão deprimida que ninguém da família Smurl conseguiu consolá-la. Com a saúde debilitada, ela alternava entre longos períodos de silêncio e isolamento e intensos ataques de choro.

Ao telefone, certa noite, Ed e eu voltamos a explicar aos Smurl que havia quatro estágios demoníacos, e que esses eram infestação, opressão, possessão e morte. Sob a infestação, o demônio e os espíritos entram em uma casa; isso é seguido pela opressão, quando a família sofre ataques e assédios. No estágio da possessão, um demônio pode entrar e possuir o corpo de um ser humano. A morte era o objetivo final desse demônio, disso não tínhamos dúvidas. Acho que os Smurl também não.

Foi por isso que sugerimos que eles passassem um fim de semana prolongado em seu acampamento favorito.

"Sabe", disse Jack, "isso parece uma ótima ideia. É só fazer as malas e partir."

"Exatamente", falei. "Isso vai ajudar vocês a dar uma espairecida."

Se ao menos pudéssemos ter previsto o que os aguardava.

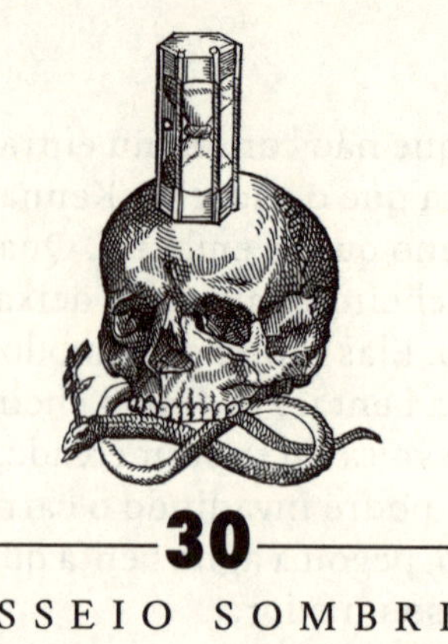

30
PASSEIO SOMBRIO

Por volta do meio-dia de uma sexta-feira, a família Smurl guardou comida, refrigerante, café, *cooler* e outros utensílios de acampamento em sua van Chevrolet 1979 vermelho-vinho e prata. No capô da van, um amigo tinha pintado *O Smurlmóvel* em letras brancas com bordas vermelho-vinho.

Era um dia quente, e os Smurl estavam de bom humor conforme passavam por Scranton e dirigiam para o nordeste na direção do acampamento perto de Honesdale. Depois de chegarem e começarem a descarregar as coisas, Jack ficou inquieto. Os Smurl estiveram naquele acampamento muitas vezes e sempre se divertiram, mas Jack Smurl sentia que alguma coisa estava errada naquele momento.

"Não entendo, mas estou sentindo alguma coisa maligna", contou Jack a Janet.

Janet ficou surpresa ao ouvir isso por causa de toda a diversão que sempre tinham ao ar livre.

"O que quer dizer com alguma coisa maligna, Jack? Como você a descreveria?", perguntou ela.

Jack ficou um pouco impaciente. "Não consigo descrever em palavras, só que estou com pressentimentos ruins", disse ele. Além de o dia estar quente, também estava úmido, e por alguns minutos houve uma tensão no ar entre Jack e Janet. Nenhum deles queria ver o fim de semana arruinado, e apesar dos problemas na casa, viajar até as montanhas Pocono sempre fizera com que se sentissem bem.

Eles decidiram se concentrar apenas na diversão. Além de poderem nadar, havia um playground para as crianças, uma sala de recreação e as áreas abertas da floresta. Eles abriram o toldo retrátil, o teto de plástico que vai na traseira do trailer. Isso ofereceu uma sombra bem--vinda visto que havia apenas algumas árvores no local.

O dia passou normalmente, e quando o sábado amanheceu outro dia quente estava a caminho. À tarde, Janet e as crianças saíram e Jack ficou sentado à sombra da van com Simon.

Jack e Simon estavam de frente para o varal onde Janet tinha amarrado cinco trajes de banho e pendurado meia dúzia de toalhas. Não havia vento soprando, mas, de repente, todos os trajes de banho e toalhas caíram do varal ao mesmo tempo. Surpreso, Simon levantou de um salto e olhou na direção do varal. Jack também foi pego de surpresa, porque ele sabia que Janet tinha amarrado os trajes de banho com firmeza. Ele ficou curioso sobre como tudo tinha caído do varal ao mesmo tempo, mas não ficou pensando muito nisso.

Naquela noite, Janet e as crianças foram para o salão de recreação para jogar bingo. À época, Dawn tinha 16, Kim, 14, as gêmeas, 9, e seu primo Davey, 14. A meninada se dava bem e eles gostavam de fazer coisas com Janet.

Quando escureceu, Jack decidiu acender uma fogueira. Por volta das 21h15, a madeira estalava e as chamas ficavam mais intensas. Simon estava sentado ao lado de Jack quando o cão voltou a ficar alarmado, como acontecera naquela tarde, só que dessa vez Simon rosnou e olhou na direção de alguns arbustos.

Jack virou a cabeça na direção dos arbustos e, para seu espanto, havia uma adolescente parada ali, na casa dos 14 anos, com cabelo louro comprido, quase até a cintura, e usava um vestido longo estilo colonial.

A garota estava parada a 10 m de Jack, perto da estrada e ao lado dos arbustos. Jack a via com clareza; ela estava olhando e sorrindo para ele. Simon continuou rosnando, e Jack não entendia o que acontecia, visto que Simon tem uma disposição amigável e gosta da garotada.

Quase petrificado, Jack fitava a garota, e ela continuava a lhe sorrir sem se mover. Depois de aproximadamente dez segundos, a garota desapareceu de súbito. Alguns segundos depois ela reapareceu, então voltou a desaparecer depressa.

Jack achou que alguém poderia estar pregando uma peça nele. Ele entrou na van e pegou uma lanterna grande com um feixe de 10 cm de circunferência. Jack olhou para os arbustos e a garota estava de volta outra vez. Ela só ficou ali parada imóvel, sorrindo para Jack. Com Simon rosnando, Jack e o cachorro avançaram na direção da garota. Ela desapareceu.

Jack e Simon foram até o lugar onde a garota estivera parada, mas ela não estava em lugar nenhum. Usando a lanterna, Jack olhou estrada abaixo e em volta dos arbustos, mas não encontrou nada.

Mais tarde, Janet e as crianças voltaram para a van. Shannon e Carin foram dormir e por volta de meia-noite, Jack, Janet, Dawn, Kim e Davey estavam sentados ao redor da fogueira, bebendo refrigerante e comendo lanchinhos, quando ouviram a voz de uma jovem vinda do outro lado do lago.

A margem mais próxima do lago ficava a aproximadamente 50 m ou 60 m de onde os Smurl estavam, e até o outro lado do lago eram outros 140 m. Na quietude da noite, eles ouviram a voz chamar: "Socorro... socorro".

Jack ficou com Kim e as gêmeas. Davey, um adolescente robusto que é lutador e jogador de futebol americano, foi com Janet e Dawn até o outro lado do lago para determinar se alguém estava em perigo. Eles levaram a lanterna, deram a volta pelo lago e chamaram, mas não voltaram a ouvir a voz. Visto que ninguém tinha retornado o chamado, eles pensaram que poderia ter sido uma pegadinha.

No caminho de volta para a van, eles estavam passando por um mercadinho ao lado do salão de recreação quando ficaram congelados no lugar ao verem o que estava acontecendo. Embora não houvesse nenhuma brisa, uma pesada lata de lixo de metal de quase duzentos litros começou a rodopiar com violência a poucos metros de onde estavam. O holofote da loja estava aceso e eles podiam ver com clareza que a lata estava girando muito depressa. Jack, que estava esperando pelo retorno deles, olhou para fora e também viu a lata rodopiando.

Janet, Dawn e Davey se entreolharam enquanto a lata continuava a girar sozinha por vinte ou trinta segundos. O rodopio então parou de repente e a lata tombou. Não havia nenhum animal dentro dela e nada de vento.

Depois de ouvirem a voz da garota e então aquilo, Janet, Dawn e Davey ficaram alarmados. "Vamos sair daqui", gritou Dawn, e os três correram para onde Jack aguardava ao lado da van.

Eles se agruparam em volta da fogueira, todos amedrontados. Jack decidiu contar a eles o que tinha acontecido com o varal e sobre a garota que tinha visto. Os Smurl reviraram suas mentes à procura de alguma explicação lógica, mas não conseguiram pensar em nada.

Eles deixaram o acampamento no dia seguinte para voltarem para casa em West Pittston. Jack e Janet se perguntaram se estavam imaginando tudo aquilo.

A aparição da jovem e a violenta lata rodopiante provavam uma coisa para Janet e Jack Smurl — que os Warren tinham razão. Ed e Lorraine tinham lhes dito que o demônio podia viajar com eles.

O demônio reforçou isso no caminho de volta para casa. Na metade do caminho, uma vibração terrível e inexplicável começou a percorrer a van, quase como se fosse enormes ondas de som capazes de deixar edifícios desmoronados em seu rastro. Jack teve que esperar no acostamento até que as vibrações parassem.

O APRENDIZ DE DEMONOLOGISTA

Uma ladeira íngreme levava a uma casa formidável enfiada em uma profunda caverna de sombras. A luz amarela que se derramava pelas janelas parecia particularmente convidativa. Donald Bennett, ainda tão animado quanto estivera uma semana antes, estacionou na entrada para carros atrás de muitos outros carros e em seguida entrou.

Duas horas depois, ele se viu no meio de outras seis pessoas ainda enfeitiçadas pela apresentação de gráficos, fotografias, artefatos e gravações em fitas, cada um dos quais revelando um aspecto especial do mundo espiritual.

Sentados ao redor dele havia um policial, um dentista, um gerente de posto de gasolina, um universitário, uma freira e um contador certificado.

Primeiro Ed e em seguida Lorraine tinham falado, e depois um homem que revelou sua primeira experiência como aprendiz de demonologista. Donald atribuiu o nervosismo do homem à simples ansiedade por ter que ficar em pé diante de um grupo. Mas logo se deu conta de que a razão de seu nervosismo era a experiência de acompanhar Ed e Lorraine.

O homem, alto, magro, vestindo um suéter de gola rolê e um casaco esportivo de tweed com mangas que não chegavam a ser longas o bastante para cobrir seus pulsos, apertou o botão de um gravador e disse: "Eu entrei sozinho em um cômodo com um gravador e isto é o que eu trouxe de volta".

A princípio, tudo o que Donald conseguiu escutar foi o som ambiente no cômodo — a própria máquina funcionando. Mas então uma batida começou, devagar e leve a princípio, para em seguida ficar mais forte e frequente. Então à batida juntou-se um ofegar misterioso, como se um enorme animal tivesse ficado sem fôlego. Então as batidas se transformaram em pancadas estrondosas.

Donald observou o rosto do homem empalidecer conforme a fita avançava. Ele também notou que o olho esquerdo do homem tinha desenvolvido um tique.

Após o homem ter concluído, Ed começou a dar uma palestra improvisada sobre algumas de suas experiências com a demonologia.

- Ver um crucifixo literalmente explodir quando um espírito demoníaco focou sua atenção nele;
- Examinar um crânio humano usado para beber sangue durante cerimônias satânicas;
- Estudar uma boneca de pano usada por um espírito demoníaco que começou a exercer controle sobre uma menina muito jovem;
- Observar garrafas de água sanitária e detergente serem levitadas atrás dele enquanto ele subia a escada de um porão;
- Validar a autenticidade de uma fotografia espírita tirada em Mendon, Massachusetts, que mostrava claramente a presença de um fantasma.

Ed relatou muitos outros incidentes, depois recomendou que estudantes de demonologia sérios estudassem livros como *Padre Pio: The Stigmatist* [Padre Pio: O Estigmatizado], do reverendo Charles M. Carty; *True and False Possession* [Possessões Verdadeiras e Falsas], de Jean Lhermitte; e *Poltergeist over England* [Poltergeist pela Inglaterra], de Harry Price.

Ao final da reunião daquela noite, Donald viu o homem que tinha falado se aproximar de Ed, dizer alguma coisa em voz baixa e em seguida estender a mão. Ed a apertou. Nenhum deles estava sorrindo. O homem então foi até o armário no corredor, pegou seu casaco e foi embora.

Donald percebeu o que tinha acontecido, mas deixou a confirmação por conta de Ed. Dirigindo-se aos seis estudantes restantes, Ed disse: "Dean decidiu desistir. Acho que não preciso dizer a vocês que o encontro que ele teve na casa para a qual o levamos o abalou muito profundamente. Ele disse que anda dormindo pouco desde aquela noite e que perdeu o apetite, e que sua esposa é contra ele prosseguir no campo da demonologia. Acho que agora ele precisa de nossas preces, então por que não tiramos alguns minutos agora mesmo para rezar um pequeno rosário por ele".

Donald, apesar de não ser católico, juntou-se às preces de bom grado.

Ele tivera seu primeiro vislumbre de um homem cuja existência fora ameaçada pelo sobrenatural. Foi um vislumbre que ele nunca iria esquecer.

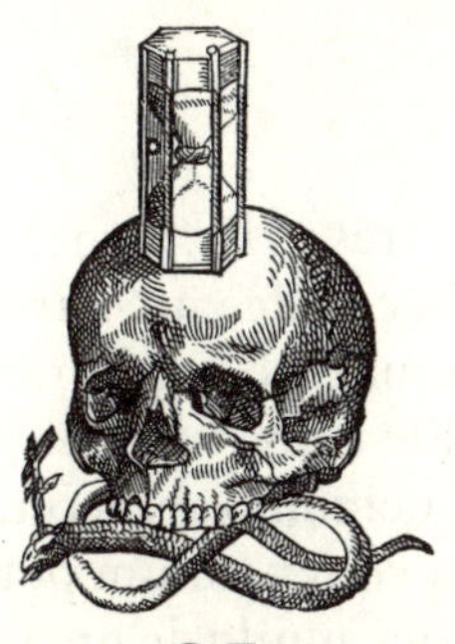

31
O ATAQUE CONTINUA

P: **Janet, você poderia descrever alguns dos eventos que aconteceram depois que vocês retornaram do acampamento?**
R: Na noite em que voltamos para casa, Shannon foi levitada, e nós demoramos muitas horas para acalmá-la. E depois teve a Mary.

P: **O que aconteceu com a Mary?**
R: Para ser honesta, todos nós temíamos bem lá no fundo que o demônio fosse fazer alguma coisa que a faria sofrer um infarto.

P: **Aconteceu alguma coisa assim?**
R: [*Pausa.*] A forma escura entrou no quarto de Mary e a assustou tanto que...

P: **Que o quê?**
R: Que ficamos com medo...

P: **O que mais aconteceu?**
R: Shannon foi jogada para fora da cama. Com muita violência. Nós ouvimos o barulho no meio da noite e corremos pelo corredor e a encontramos no chão, com hematomas graves e chorando.

P: **Ela se lembrava do que tinha acontecido?**
R: Ela disse que a forma escura tinha aparecido e a jogado para fora da cama, a jogou com tanta força que ela primeiro bateu na parede e depois caiu no chão. Depois a forma escura falou com ela.

P: O que ela disse?

R: "Um *strike*, dois *strikes*, três *strikes* e você está fora." Foi quando Jack meio que perdeu a cabeça. Ele viu Shannon ali no chão e simplesmente não conseguiu mais se segurar. Ele começou a gritar para o demônio aparecer. Ele tinha um frasco de água benta na mão e ficava gritando para o demônio aparecer. Eu fiquei muito orgulhosa dele. Ele não estava com nem um pouco de medo do demônio. Ele só queria acabar com aquilo de uma vez por todas, mesmo que isso lhe custasse a vida. Então John e Mary chegaram.

P: Eles tinham ouvido o barulho?

R: Sim, a Shannon ter sido jogada para fora da cama tinha acordado todo mundo do nosso lado. Então John e Mary ouviram que estávamos acordados, por isso foram até lá para ver se tinha alguma coisa errada. John fez uma coisa fantástica naquela noite.

P: O que ele fez?

R: Ele trouxe uma relíquia certificada que ele tem, uma cruz de madeira que contém um fio do manto de Jesus Cristo. Ele disse: "Acho que o demônio quer matar todos nós. Não costumava pensar assim — achava que ele só queria nos atormentar —, mas agora acho que ele quer nossas vidas. Então quero que você e Jack fiquem com esta relíquia para proteger vocês". "Mas se você não ficar com ela, não vai ter nada com que se proteger", nós dissemos. Então Mary se pronunciou, e eu nunca vou me esquecer disso: "Somos velhos. Se alguma coisa acontecer conosco, nós já vivemos nossas vidas. Vocês têm uma família para criar. Fiquem com a relíquia". Dava para ver as lágrimas nos olhos de Jack. Ele ficou muito emocionado com isso.

P: As coisas se acalmaram?

R: Na verdade, não. Para o Jack, elas chegaram a piorar no trabalho. O demônio não estava satisfeito em destruir nossas vidas familiares, nem nossas vidas no acampamento aonde íamos há anos. Agora ele queria destruir o emprego do Jack.

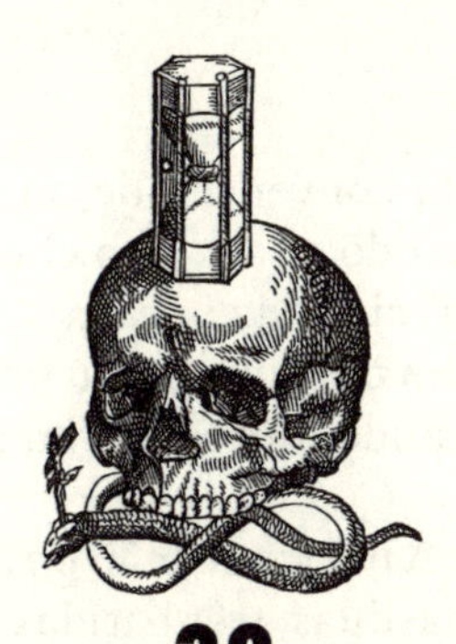

32
DECLARAÇÃO DE MARIA RAMOS

Eu trabalho com o Jack na empresa há muitos anos. Sei que ele é um homem razoável e sensato que não é dado a voos da imaginação ou fantasias mirabolantes.

Tenho que dizer, contudo, que quando ele começou a me contar algumas coisas que estavam acontecendo na casa dele, eu tive minhas dúvidas. Eu achava que poderia haver uma explicação natural para esses eventos.

Então o telefone no nosso escritório começou a emitir toques bem estranhos.

Certo dia, depois de Jack ter me explicado como ele tinha se sentido assustado na noite anterior com o fenômeno da levitação, eu estava sentada a minha mesa quando o telefone começou a fazer um barulho muito esquisito, quase como um alarme de incêndio disparando, um zumbido prolongado e urgente. Quase foi preciso cobrir as orelhas.

Ao longo dos meses seguintes, isso aconteceu dúzias de vezes. A empresa de telefonia enviou inúmeros técnicos, mas nenhum deles conseguiu explicar os ruídos misteriosos e irritantes que saíam do telefone.

Então, certo dia, o toque do telefone veio acompanhado de um odor muito fétido, como se nosso escritório fosse um porão úmido, esse tipo de cheiro. Experimentamos abrir as janelas e borrifar neutralizador de odores na área onde trabalhávamos, mas isso não adiantou.

O cheiro foi o que me convenceu de que realmente havia forças sobrenaturais atormentando o Jack — o cheiro e o rádio.

Um dia, Jack, que parecia cada vez mais esgotado e exausto devido aos acontecimentos em casa, me pediu para ouvir o rádio em cima da mesa dele. "Estou ficando louco, Maria, ou você pode ouvir batidas dentro do rádio?"

Eu ouvi com atenção. A princípio, não ouvi nada. Mas então comecei a ouvir batidas — uma, duas, três batidas, como se alguém estivesse batendo no rádio com os nós dos dedos. As batidas intermitentes continuaram por muitos minutos e depois pararam.

"Sinto muito por você, Jack. Sinto muito mesmo."

Na igreja, pedi às pessoas da congregação que começassem a rezar pelos Smurl. Compartilhei com os outros as experiências que eu tinha tido com Jack e falei sobre as forças sobrenaturais que estavam atormentando a ele e à sua família.

Nenhum de nós podia imaginar o que tal tensão poderia fazer com sua saúde e sanidade. Apenas com base no breve contato que tive com aquilo — nunca vou me esquecer do barulho que o telefone fez ou do fedor no escritório —, tenho que me perguntar quanto tempo eu aguentaria um ataque como aquele.

Honestamente, eu não sei como os Smurl conseguiram aguentar o tanto que aguentaram.

Enquanto os Smurl posavam para essa foto no dia 19 de maio de 1987, estranhos ruídos de farfalhar eram ouvidos atrás de Janet e Jack. Sentadas no chão estão as gêmeas Carin, à esquerda, e Shannon, que flanqueiam o pastor-alemão da família, Simon. Ajoelhadas atrás das gêmeas estão Kim, à esquerda, e Dawn. Janet e Jack estão sentados em um sofá atrás das filhas, na sala de estar da casa assombrada. (Alguns rostos foram obscurecidos para preservar suas identidades.)

ACIMA: Janet à porta de entrada da casa da família. Uma criatura disfarçada de mulher, com a pele extremamente branca, estava parada do lado de fora da porta certo dia, encarando Janet no lado de dentro.

ABAIXO: Janet e Jack no quarto do casal.

Dawn explica ao autor, Robert Curran, como a entidade se moveu em sua direção enquanto ela tomava banho.

Janet, à esquerda, Kim, ao centro, e Shannon recriam o dia da crisma de Kim, quando a luminária despencou no chão.

No porão, Jack aponta para a parede onde médiuns dizem que um espírito preso à terra, chamado Abigail, estava parado.

Janet indica a altura na qual foi levitada.

As gêmeas em seu quarto. Shannon está no beliche de cima e Carin está sentada no de baixo.

Uma visão da sala de estar de Jack e Janet, mostrando a escada à esquerda e o vão da porta para a cozinha à direita.

Jack e Janet diante da casa assombrada. Eles moram no lado esquerdo da casa geminada e os pais de Jack residem no lado direito.

Dawn, à esquerda, e a irmã Kim mostram como gravaram as inexplicáveis pancadas que vinham do interior do closet.

A família Smurl se reúne no quintal dos fundos. Na fileira da frente estão as gêmeas Shannon, à esquerda, e Carin. Atrás delas, da esquerda para a direita, estão Dawn, Jack, Janet e Kim. Simon, o pastor-alemão da família, está parado ao lado do alpendre dos fundos da casa.

Do gramado lateral, Jack e Janet olham para o segundo andar da casa, de onde os vizinhos ouviram gritos sobrenaturais e ruídos farfalhantes quando os Smurl estiveram fora da cidade.

Janet abre a porta da van da família. O veículo foi esmurrado com violência por um punho invisível que parecia ser feito de aço.

ACIMA: John e Mary Smurl em sua sala de estar. Neste cômodo, a temperatura costumava cair para um frio congelante, barulhos de batidas vinham dos móveis e um estranho animal atravessou correndo o cômodo.

ABAIXO: Ed e Lorraine Warren chegam à residência dos Smurl e respondem algumas perguntas dos repórteres.

O padre Robert F. McKenna (que agora é bispo) realizou três exorcismos na casa dos Smurl.

O corredor que leva ao quarto de Jack e Janet. Um monstro gigantesco, meio humano, meio animal, atravessou o corredor em disparada ao encontro de um Jack Smurl aterrorizado.

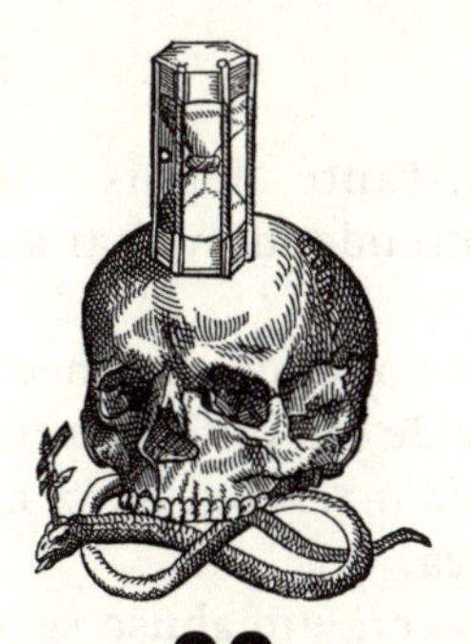

33

INVASÃO MISTERIOSA

A chuva ameaçava cair de um cinzento céu vespertino. Era um daqueles dias em que a temperatura estava inexplicavelmente mais para outubro do que julho.

As meninas estavam brincando fora de casa, embora a seriedade com que Dawn e Kim encaravam o *softball* fazia Janet se perguntar se "brincando" era a palavra certa, e Jack estava no trabalho.

Janet preparara uma salada de repolho para o jantar e a colocara na geladeira para que estivesse fria quando chegasse a hora da janta. A TV estava ligada, uma novela encenando seu ponto de vista nefasto sobre a condição humana, quando Janet começou a sentir uma súbita dor de cabeça e decidiu se deitar no sofá.

Enquanto se esticava, ela não precisou se perguntar por que estivera tendo tantas dores de cabeça naqueles últimos dias. Desde a experiência no acampamento, ela e Jack estiveram vivendo com o conhecimento de que, mesmo se vendessem a casa geminada e se mudassem, o demônio poderia muito bem se mudar com eles. Então do que adiantaria irem para outro lugar? Se ele era capaz de segui-los até o acampamento, era óbvio que poderia segui-los para qualquer lugar.

Ela estivera dormindo por aproximadamente vinte minutos quando sentiu um toque muito delicado, como dedos com a intensão de deixá-la excitada, começar a subir pelas coxas, depois passar por cima da barriga e subir pelo restante do corpo. De repente, ela despertou por completo.

Sua primeira reação foi sarcasmo: lá vamos nós outra vez. Por mais ameaçador que o demônio pudesse ser, ele também fazia Janet lembrar, às vezes, de uma criancinha irritante decidida a incomodar seus pais.

Janet esperou um instante, depois voltou a descansar a cabeça no braço do sofá, pretendendo voltar a dormir. A dor de cabeça ainda latejava.

Ela sequer chegara ao ponto de adormecer quando sentiu o toque outra vez. Ela sentou-se de um pulo no sofá, porque dessa vez o toque do demônio foi ainda mais sugestivo, movendo-se com cuidado na direção de sua barriga.

Mas então o que parecera um abuso sexual se tornou algo ainda mais ameaçador — as mãos invisíveis do demônio encontraram sua garganta e começaram a estrangulá-la.

Janet podia sentir o sangue afluindo ao rosto enquanto tentava afastar o atacante invisível.

"Socorro!" Ela fez o melhor que pôde para ser ouvida, mas sabia que havia duas coisas contra ela. O aperto do demônio era tão forte que ela mal conseguia emitir som algum. E a casa estava vazia. Ela não conseguia gritar alto o bastante para que Mary a ouvisse.

Ela foi jogada para fora do sofá, o demônio mantendo a pressão sobre ela. Janet viu as trevas da morte avançando contra ela e se deu conta de que sua mente estava começando a se render à escuridão, do modo como dizem que vítimas de afogamento, por fim, se rendem à própria escuridão esmagadora.

Então ela se lembrou do que Ed Warren lhe disse sobre se imaginar na luz protetora do amor de Cristo. Conforme começava a imaginar Cristo em sua mente, Simon veio da cozinha onde estivera dormindo, e pareceu sentir o que estava acontecendo na sala. O pastor-alemão se agachou bem próximo ao chão, os dentes à mostra pingando saliva, pronto para atacar o torturador de Janet.

Simon cortou o ar com um pulo, estalando a mandíbula e estendendo as patas poderosas, arranhando o espaço vazio. Ele caiu ao lado do sofá, ainda rosnando, mas agora frustrado porque não conseguia salvar a dona que amava.

Quanto a Janet, a imagem de Cristo que tinha invocado se tornava cada vez mais vívida.

Ela viu o Salvador com as mãos estendidas para ela. Ele usava mantos brancos soltos e estava banhado em um lindo brilho perolado. Em sua mente, Janet esticou as mãos e aceitou a oferta de ajuda de Cristo. Conforme se movia na direção Dele, ela se sentiu aproximando-se da proteção de Sua linda luz espiritual. De repente, ela teve a imagem mental de estar reluzindo na mesma luz na qual Cristo se encontrava.

Durante todo o tempo em que esse processo de imagens mentais se desenrolava, as mãos do demônio continuavam a estrangulá-la, e ela se contorcia e se debatia sob a imensa força que bloqueava sua garganta. Mas quanto mais ela era atraída para dentro da luz que cercava Cristo, menos efeito as mãos tinham em sua respiração.

Simon continuava a rosnar, tentando descobrir como poderia ajudar.

"Jesus, me proteja, por favor!"

As mãos tinham diminuído a pressão ao ponto de ela agora conseguir se ouvir gritar.

Mais uma vez, ela gritou: "Jesus, me proteja, por favor!".

Àquela altura, a impressão mental que ela sentia de estar unida a Cristo estava quase completa.

E então as mãos do demônio afrouxaram ainda mais até que ela conseguiu se sentar ereta e agarrar um frasco de água benta que estava ali perto. Ela aspergiu gotas da água pura no ar.

E afinal sentiu a garganta livre outra vez.

Ela esperara que sua primeira reação à liberdade — se, de fato, ela não morresse — fosse de alívio.

Mas em vez disso ela se sentou na beirada do sofá chorando quase sem controle. Ela nunca estivera tão próxima da morte, e aquela sensação tinha sido aterrorizante. Apenas Cristo e Sua luz de amor a tinham salvado.

Naquela noite, quando contou a Jack sobre o estrangulamento, ele a pegou nos braços e a abraçou por muito tempo. Então ele juntou as quatro filhas em volta deles e agradeceram a Deus por poupar a vida de Janet.

"Não sei o que fazer agora", disse Janet.

"Eu sei", falou Jack.

Ele foi até o telefone e ligou para Ed Warren.

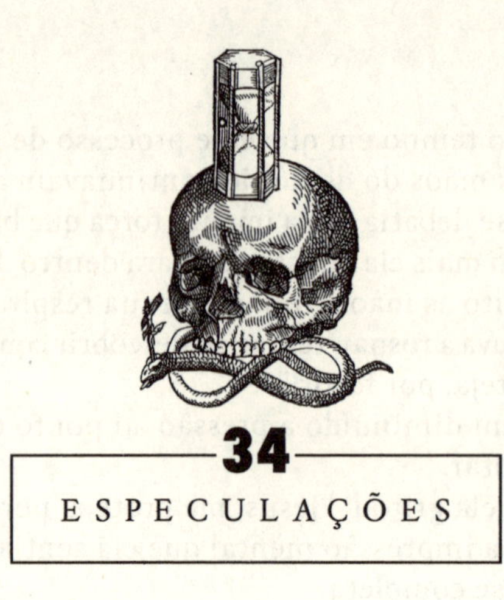

34
ESPECULAÇÕES

Como sempre fazia antes de exorcismos, o padre McKenna jejuou para a viagem até a casa dos Smurl em West Pittston, onde ele esperava pôr um fim, de uma vez por todas, à maldição que pairava sobre a casa geminada como a mais terrível doença prolongada.

No dia do segundo exorcismo, o clima ofereceu ao clérigo algumas paisagens agradáveis de ondulantes colinas verdejantes e de um céu azul sem nuvens.

Ele chegou por volta do meio-dia e encontrou os Smurl e suas filhas, além de Mary e John, reunidos na sala de estar, esperando por ele.

Antes de iniciar o rito de exorcismo, ele conversou um pouco com Janet e Jack, lhes pedindo que relatassem algumas coisas que tinham acontecido desde o primeiro exorcismo.

Observando-os, ouvindo-os, o padre McKenna pôde avaliar o quão forte o demônio se tornara. Ele viu diante de si duas pessoas assoladas por uma força que não compreendiam.

Pelo fato de não ter rezado a missa dessa vez, a cerimônia foi mais breve. O padre McKenna caminhou por todos os cômodos de ambos os lados da casa geminada, aspergindo água benta e entoando antigas preces em latim. Em seguida, abençoou cada membro da família individualmente. Ele até chegou a recitar uma benção animal especial para Simon, todas essas orações presentes no *Rituale Romanum*, um documento de pouco mais de 25 páginas que contém todas as preces e encantamentos antigos para lidar com demônios. "*Dominus vobiscum*", disse ele no latim da missa da igreja tradicional.

Assim que o padre concluiu seus deveres, Janet disse: "Há uma grande diferença entre essa vez e a última".

"E qual é?", perguntou o padre McKenna.

"O demônio não fez nada."

E não tinha feito nada mesmo.

Durante o primeiro exorcismo, o demônio tinha chacoalhado armários, assumido a forma de um jovem zangado e soltado odores fétidos no ar.

"Isso é um bom sinal?", perguntou Janet.

O padre McKenna respondeu: "Vamos torcer para que seja".

Janet e Jack voltaram a convidar o padre para o jantar, mas ele disse que gostaria de continuar jejuando e que, de qualquer maneira, tinha muitas coisas para fazer na paróquia.

Seus olhos esquadrinharam a sala de estar. Ele há muito se acostumara com a presença mais sutil de demônios, e ele procurava algum sinal assim agora. Nada. Seus ouvidos, do mesmo modo, estavam acostumados aos sons de demônios. Ele ouviu com atenção, e não escutou nada.

O padre McKenna curvou a cabeça e fez uma prece silenciosa pedindo que os Smurl fossem agora deixados em paz de uma vez por todas.

Os Smurl se despediram do padre e o acompanharam até seu carro. Diversos vizinhos, sabendo que o ritual seria realizado naquela tarde, se encontravam em suas varandas e observavam solenes conforme o padre entrava no carro e se afastava.

Janet e Jack não conseguiam conter o otimismo. Foram para dentro da casa, cheiraram o ar, olharam em volta. Outra vez parecia que a casa era deles e não que pertencia ao demônio.

Ao longo do restante do dia e, pelo menos, até bem tarde da noite, seu otimismo iria se mostrar justificado.

Na viagem de volta a Connecticut, desfrutando do espetáculo verde-escuro do verão ao longo da Interestadual 84, o padre McKenna se viu pensando em um exorcismo do qual participara alguns anos antes e se perguntou por que não tinha pensando nisso antes.

No caso dos Brenner, operários de escavação que estiveram cavando uma vala de drenagem tinham encontrado ossos embrulhados em panos apodrecidos enterrados bem fundo no terreno. O padre McKenna pediu que um especialista forense examinasse os ossos. O investigador forense concluiu que eram ossos de porco de, pelo menos, oitocentos anos de idade. De imediato, o padre McKenna soube por que a casa dos Brenner era assombrada. Parte do jardim era o local onde rituais pagãos tinham sido realizados mais de oito séculos antes. Não era de se espantar que houvesse demônios infestando a casa.

Enquanto dirigia, o padre McKenna teve a desanimadora sensação de que o exorcismo que acabara de realizar não tinha dado certo.

Diversas vezes, após um ritual daqueles, ele sentira júbilo, mas agora estava sentindo-se taciturno. Ele conseguia se lembrar de poucas infestações que tinham apresentado os problemas que os Smurl estavam encontrando, e o padre sentiu que tinha falhado em ajudá-los.

Naquela noite, o padre McKenna telefonou para os Smurl para ver como estavam as coisas. Ele ficou meio surpreso ao ouvir Janet contar: "As coisas estão ótimas, padre. E queremos lhe agradecer mais uma vez".

"Nenhum problema, então?"

"Nenhum. Saímos para comer uma pizza e comemorar, na verdade."

"Vou rezar por vocês, Janet."

"Muito obrigada, padre."

Naquela noite, enquanto fazia suas orações noturnas, um tremor de medo transpassou o padre. Ele teve a terrível sensação de que nem tudo estava bem na residência dos Smurl.

Mais uma vez, uma sensação de fracasso o inundou. Ele sentiu quase como se, de alguma maneira, tivesse traído aquela boa família.

Ele fechou os olhos e continuou rezando.

O APRENDIZ DE DEMONOLOGISTA

"Você usa roupas que não se importa em sujar porque, embora os filmes gostem de fazer acreditar que nosso trabalho envolve um monte de abracadabra, o que realmente fazemos é olhar dentro de fendas, rachaduras, armários, porões, sótãos, chaminés, poços e esgotos — qualquer lugar escuro no qual coisas podem se esconder, porque esse é o tipo de lugar que os demônios e espíritos preferem.

"E em vez de bolas de cristal e mantos requintados e varinhas mágicas, nós carregamos gravadores, lanternas, lanternas clínicas, chaves de fenda, espátulas, martelos e até mesmo pinças, em alguns casos, e além disso levamos conosco equipamentos de vídeo e câmeras que podem filmar no escuro, se necessário, e livros de registro nos quais anotamos a hora exata, e levamos conosco assistentes que nos dão coragem e que nos deixam lhes dar coragem porque sabem que todos fazemos parte da equipe."

Donald Bennett estava em seu terceiro mês como estudante de demonologia, e Ed Warren o estava ajudando a se preparar para o dia que estava se aproximando — o dia em que Donald Bennett iria parar de olhar slides e ouvir fitas e iria, sozinho, entrar em uma casa infestada de demônios.

Depois de falar sobre os instrumentos e ferramentas que os demonologistas usam, Ed olhou para Donald e disse: "Agora quero lhe contar sobre algumas pessoas que conheço. Algumas pessoas que iremos visitar em breve".

"Só pelo seu tom de voz", afirma Bennett, "eu soube que Ed tinha afinal decidido me levar junto. Eu tinha esperado que meu primeiro sentimento seria de alegria. Mas em vez disso, tenho que admitir, senti um nó no estômago e senti meus batimentos cardíacos aumentarem. Não havia dúvidas quanto a isso — por mais que eu quisesse ser um demonologista, entrar em uma casa infestada ainda me assustava."

Naquele ponto, Ed prosseguiu para contar a Donald tudo sobre esse casal chamado Janet e Jack Smurl.

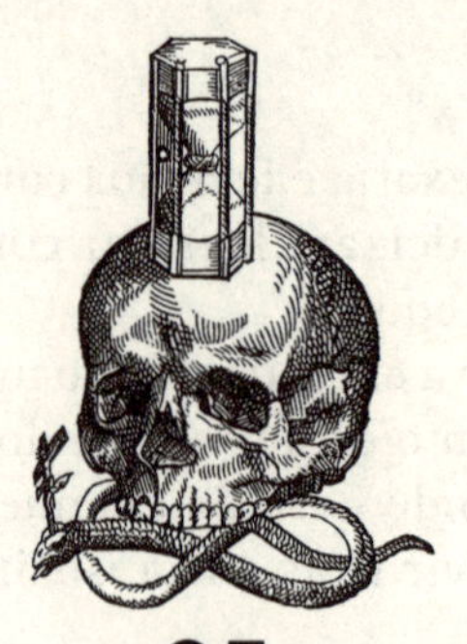

35
A TERRÍVEL VERDADE

Naquela noite, Jack teve dificuldades em pegar no sono. A animação fazia com que se sentisse quase sobrecarregado de energia.

A casa estava calma e quieta. Seus pais tinham refletido aquela bem-vinda mudança nos acontecimentos. Ele não os vira sorrir tanto em quase dois anos.

Jack ficou deitado nas sombras do quarto tentando relaxar até adormecer. Agradeceu a Deus pelas bênçãos, e depois de dez minutos encontrou a escuridão que era o sono e deixou que ela o sobrepujasse com delicadeza.

Jack desceu da cama como se um tiro de espingarda tivesse sido disparado no corredor. Ele estava banhado em suor e tremia.

Instantes depois, Janet sentou-se ao seu lado.

"Meu Deus", disse ela.

Ambos ouviram as batidas nas paredes.

Um sinal claro de que a coisa não tinha partido em absoluto.

Depois de algum tempo, conforme as pancadas prosseguiam, Janet e Jack foram consolar as filhas. As meninas estavam muito cientes do que as batidas representavam.

Kim, em lágrimas, perguntou: "Será que ele nunca vai nos deixar em paz, mãe? Nunca?".

Falando com uma voz que mal chegava a um sussurro e lutando para conter as próprias lágrimas, Janet respondeu: "Não sei querida. Não sei mesmo".

Depois de mais ou menos uma hora, as batidas pararam. As meninas voltaram a dormir.

Jack e Janet deitaram-se na cama, aconchegados um nos braços do outro, assistindo à aurora manchar a janela.

Eles estavam exaustos, exauridos. E aterrorizados.

"Não sei o que vamos fazer", comentou Janet.

"Em algum lugar existe alguém que pode nos ajudar. Tem que existir." Ele prosseguiu para dizer algo que achava que nunca iria dizer. "Talvez seja hora de irmos a público. Talvez alguém nos ouça e nos telefone."

"Mas as garotas..."

"Talvez exista alguma maneira de fazermos isso e continuarmos anônimos."

"Mas como?"

"Vamos conversar com Ed e Lorraine sobre isso."

"Ir a público é quase tão assustador quanto lidar com o demônio", disse Janet.

Ele suspirou, fitou taciturno o céu riscado do amanhecer. "Temos que fazer alguma coisa, Janet. Temos que fazer." Mas enquanto pensava em todos os problemas que a publicidade causaria à sua família, Jack falou: "Vamos esperar mais um pouco. Vamos ver o que acontece. Tudo bem?".

Janet disse com gentileza: "Tudo bem, Jack. Se você acha que isso é o melhor".

Ela o abraçou, e, por fim, mergulharam em um sono inquieto.

O sono do padre McKenna também foi conturbado naquela noite. Ele se viu passando muitas longas horas entoando antigas preces para os Smurl, preces que os primeiros cristãos acreditavam ser as únicas armas verdadeiras contra Satã.

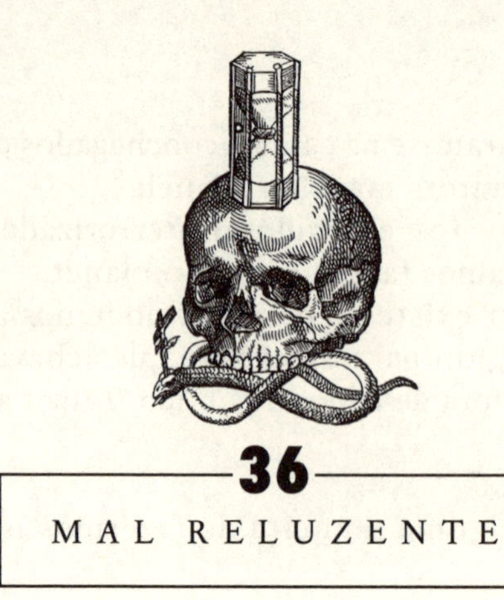

36
MAL RELUZENTE

Jack e Janet estiveram dormindo por apenas alguns minutos quando o colchão começou a tremer.

Jack diz que nunca esteve em um terremoto. “Mas já os ouvi serem descritos, e foi com um que nossa cama se parecia. Depois ele começou a ser erguido da cama — o colchão todo — e a gente com ele. Nós dois tínhamos sido levitados antes durante a assombração, mas não daquele jeito — não com a cama sendo sacudida com tanta violência. Depois, como sempre, fomos jogados de volta em cima do estrado. Eu fiz a única coisa que podia. Assim que a cama parou de tremer, eu agarrei um frasco de água benta e comecei a aspergir toda a cama. Não dormimos o resto da noite.”

Na sexta-feira dessa mesma semana, a família Smurl sentou-se à mesa do jantar apenas para ver a cristaleira de carvalho na cozinha abrir sozinha. Dezoito xícaras e pires de porcelana despencaram e se espatifaram no chão. Pedaços e cacos de porcelana arruinada se espalharam pelo chão e algumas das pontas afiadas deixaram ranhuras na parte inferior da cristaleira.

Janet afundou o rosto nas mãos e começou a chorar baixinho. Ela esperara dezoito anos por aquela cristaleira, até eles terem o dinheiro necessário para pagar por ela. E agora ela estava arranhada e danificada.

De repente, a raiva a dominou, e ela ergueu a cabeça e gritou: “Odeio esta casa!”.

Jack e as crianças passaram os vinte minutos seguintes tentando consolá-la.

Ao longo da semana seguinte, o banheiro, que parecia ter um apelo especial para o demônio, se tornou muito ativo com demonstrações da infestação, em sua maior parte direcionada para Janet.

Na noite de segunda-feira, conforme entrava na banheira, ela viu uma enorme forma humana reluzente parada no canto. Ela media por volta de 1,50 metro de altura, e se parecia com uma luz cintilante com ombros e uma cabeça, mas sem pescoço, pernas ou braços. Não tinha feições que Janet pudesse ver. Seu brilho dourado machucava os olhos dela, como se ela estivesse olhando diretamente para o sol.

Aterrorizada, ela chamou por Jack, mas quando ele chegou ao banheiro, a criatura reluzente tinha desaparecido.

Na quarta-feira, enquanto estava na banheira, ela ouviu um homem gemendo, "Oh... oh... oh", como se estivesse em êxtase sexual.

Janet de imediato gritou por Jack.

Dessa vez Jack ficou com Janet, sentado embaixo do crucifixo que estava pendurado acima do vão da porta que dava para o corredor. Enquanto ela terminava o banho, ele lia um missal. Enquanto ele lia as palavras sagradas sobre a Mãe Abençoada, Jack e Janet sentiram o aroma de rosas no ar.

"Não tenho nenhuma dúvida de que as forças do paraíso estavam na casa naquele momento para travar uma guerra contra o demônio e para proteger nossa família de perigos físicos", afirma Janet.

Sem sombra de dúvidas, o incidente mais alarmante aconteceu na noite da quinta-feira seguinte, e mais uma vez no banheiro.

Janet foi dormir cedo, mas acordou por volta das 2h. Com sede, ela se levantou para pegar um copo de água. Ela estava cansada o suficiente para não pensar em seres sobrenaturais. Ela apenas queria um copo de água e depois voltaria a dormir.

Devido a todos os incidentes recentes, Jack insistira em deixar a luz do banheiro acesa a noite toda.

Agora, enquanto Janet entrava no banheiro, ela viu algo que a despertou por completo.

Parada diante do armário de toalhas se encontrava a forma enorme, encurvada e encapuzada que tinha se materializado inúmeras vezes desde o início da infestação na casa.

Janet observou, fascinada e enojada ao mesmo tempo, conforme as mãos da forma tentavam abrir as portas do armário.

Parecendo tê-la ouvido, a cabeça da figura virou para a direita e fitou Janet cegamente.

Ela sentiu como se a coisa estivesse olhando através dela. "Minha pele ficou literalmente toda arrepiada. Percebi que estava usando só uma camisola e fiquei preocupada que a coisa se tornasse um íncubo e me estuprasse. Então ela começou a se afastar do armário e avançar na minha direção. Eu corri corredor abaixo, tropeçando em um tapete e batendo meu joelho com bastante força, mas continuei correndo. Eu entrei no quarto e comecei a sacudir o Jack. Eu temia que o demônio pudesse colocá-lo em um sono psíquico. Felizmente, consegui acordá-lo de imediato. Ele foi comigo até o banheiro, levando a água benta junto. Mas àquela altura a forma escura tinha desaparecido. Eu não dormi o resto da noite."

Seus temores sobre o íncubo se concretizaram na noite seguinte quando Janet, descansando ao lado de Jack na cama do casal, sentiu a mão invisível se mover por seu corpo.

Jack, ao ver que a esposa estava sendo atacada, apanhou a água benta em cima da mesinha de cabeceira. Depois de afastar as cobertas de cima de Janet, ele disse, com uma voz autoritária: "Em nome de Jesus Cristo, ordeno que parta!".

Então Janet se juntou a ele na mesma prece. "Em nome de Jesus Cristo, ordeno que parta!"

As mãos invisíveis continuaram a violá-la, mas conforme aspergiam água benta e entoavam as palavras da oração especial, Janet enfim sentiu as mãos recuarem, seu corpo era só seu outra vez. Então, ela desabou no abraço forte e protetor de Jack.

Mas a noite ainda não tinha chegado ao fim.

Depois de adormecer uma hora depois, os Smurl foram acordados pelo colchão sendo sacudido com violência, assim como acontecera antes. Socos invisíveis vieram a seguir, embora naquela noite eles tenham sido breves.

Mas o demônio não tinha terminado.

Ele pegou o colchão e o fez levitar quase 30 cm em pleno ar, levantando-o e abaixando-o como um montanha-russa. Quando o demônio terminou com eles dessa vez, as filhas do casal estavam paradas na soleira da porta, chorando e rezando.

Janet gritou: "Esta é a nossa casa, droga. Nos deixe em paz!".

Por volta das 3h daquela mesma manhã, Janet recebeu a visita de uma aparição de uma mulher idosa com uma expressão agradável. O cabelo dela estava puxado para trás em um coque. Ela usava óculos de armação de arame com lentes redondas. Por baixo de um cardigã azul-marinho ela usava um vestido simples desbotado. Ela estava sentada a uma mesa fantasma branca em estilo colonial. A mulher não disse nada para Janet, apenas sorriu para ela com seu jeito agradável.

"Eu tive a distinta impressão de que essa mulher queria me contar alguma coisa, mas não sei ao certo o quê. Nós só nos encaramos. O mais estranho foi que eu não senti medo", lembra Janet. "Se esse fosse o demônio assumindo uma nova forma, ele assumira uma forma que não me assustou. Então ela sumiu, com a mesa e tudo, assim de repente. Em seu lugar apareceram umas luzes — azuis, douradas e brancas — piscando por toda parte, como se fossem aquelas luzes estroboscópicas dos anos 1960. Jack não acordou durante todo esse tempo. Eu consegui pegar no sono pouco antes do amanhecer, e então o telefone tocou. O toque acordou o Jack. Ele atendeu, mas não tinha ninguém na linha. Eu contei a ele o que tinha acontecido com a mulher idosa. Nenhum de nós conseguiu entender. Os espíritos costumavam ser feios ou assustadores. Aquele tinha sido... reconfortante, acho."

Na manhã seguinte, Janet estava na cozinha lavando a louça quando ouviu um barulho na varanda da frente.

Ao entrar na sala de estar, Janet viu uma mulher que era uma forma dourada e reluzente ainda mais ofuscante do que a criatura da noite anterior. O cabelo, a pele e as roupas da mulher eram compostos de uma cor branca-dourada atordoante. Janet não conseguiu discernir nenhum traço físico que fosse. Conforme Janet se aproximava da porta com cautela, a mulher, como era de se esperar, desapareceu.

Naquela tarde, fazendo um pouco de faxina, Janet olhou para cima e viu a mesma mulher branca-dourada parada diante dela. Ao desligar o aspirador de pó, Janet começou a avançar na direção da mulher, mas a senhora desapareceu mais uma vez.

Depois, naquela mesma tarde, a mulher voltou a aparecer. Dessa vez, o brilho dourado parecia ter uma essência incandescente, e Janet sentiu pela primeira vez que a mulher não estava ali apenas para alarmá-la, mas para machucá-la.

Na cama, naquela noite, Janet se virou para Jack para dizer algo a ele e viu, pela primeira vez, o marido olhá-la como se *ela* fosse o demônio.

"Eu não estava esperando por aquilo. Nós só estávamos tendo uma conversa normal, quero dizer; e Janet se virou para mim e então vapor começou a sair da boca dela. Aquilo me assustou de verdade. Eu comecei a me afastar dela e então percebi que isso era exatamente o que o demônio queria que eu fizesse. Ele forçara vapor para fora da boca de Janet para fazer com que nos separássemos. Pensei no que Ed e Lorraine tinham nos dito sobre o demônio sempre tentar destruir as famílias. Era exatamente isso que ele estava fazendo. Então com muita calma, contei a Janet o que estava acontecendo — sobre o vapor que estava saindo da boca dela —, e então ela começou a se observar e também viu o vapor. De certa maneira foi um pouco engraçado — nós até rimos um pouco disso —, mas quando vi aquilo pela primeira vez, fiquei bastante assustado. Sem dúvidas quanto a isso."

No meio da noite, Jack esticou o braço e tocou Janet com delicadeza e perguntou: "Você está acordada?".

"Sim."

"Está na hora, não está? De conversar com Ed e Lorraine."

"Sobre irmos a público?"

"É."

Janet pensou por alguns instantes. "Acho que a essa altura não sei o que mais *podemos* fazer."

"Talvez alguém lá fora conheça alguma coisa sobre casos como este."

Enquanto conversavam, ouviram um grito vindo de um dos quartos.

Eles dispararam pelo corredor e entraram no quarto das gêmeas.

Carin estava sentada, lágrimas escorrendo pelas bochechas.

"Eu vi ele de novo, mamãe. Eu vi ele de novo."

"Quem, meu bem?"

"O homem naquela coisa preta e comprida."

"O manto preto?"

"Sim."

Jack e Janet trocaram olhares ansiosos. "O que ele estava fazendo?"

"Ele estava no corredor. Eu estava com medo que ele fosse andar até o seu quarto. Para pegar vocês."

Ela começou a chorar outra vez.

Jack, enfurecido, bateu um punho na outra mão e voltou para a cama enquanto Janet ficava e consolava Carin.

O demônio estava começando a atingir seu objetivo. Ele estava tentando destruir os membros da família Smurl um de cada vez. Havia apenas uma coisa com a qual ele não tinha contado, e isso era o próprio Jack Smurl. Ninguém destruiria a família de Jack. Ninguém.

ED WARREN

O pressentimento do padre McKenna de que o demônio não tinha sido subjugado pelo segundo exorcismo se provou verdadeiro.

Lorraine, Chris e eu (e, em diversas vezes, outros membros da equipe) mantivemos contato com Janet e Jack, lhes oferecendo conselhos e qualquer consolo que pudéssemos, o que, tenho que admitir, não era muita coisa àquela altura, visto que o demônio parecia estar virtualmente, se não literalmente, fora de controle.

Um assunto que surgiu muitas vezes foi o agourento caso de Amityville, que era um exemplo perfeito do que poderia acontecer quando um demônio alcançava o quarto estágio da infestação, este sendo a possessão. Em Amityville, é claro, Ronald DeFeo, de 24 anos, pegara um rifle e de modo sistemático assassinara os pais, os dois irmãos e as duas irmãs. Hoje ele está preso, condenado à prisão perpétua.

Até os assassinatos, Ronald DeFeo fora um jovem normal, cheio dos desejos mais comuns à maioria dos homens jovens. Mas alguma força sinistra na casa de Amityville tomara conta dele, e os resultados tristes e sangrentos foram desde então bem documentados.

Lorraine e eu passamos muitos longos dias e noites depois de sermos chamados para o caso de Amityville tentando determinar se Ronald tinha apenas enlouquecido ou se ele mesmo tinha se tornado infestado pelo demônio. Todas as evidências, e estas eram consideráveis, apontavam para o último. E ainda estamos aprendendo coisas sobre a situação em Amityville que apenas fortalecem nossa crença de que foi um caso evidente e clássico de possessão.

Agora, nós começamos a nos preocupar que o mesmo pudesse acontecer com os Smurl.

E se o demônio dominasse alguém da casa e voltasse uma mente que outrora era inocente para pensamentos sombrios e violentos, assim como a mente de Ronald DeFeo fora voltada para pensamentos sombrios e violentos?

O padre McKenna fizera tudo o que podia, assim como nós, e ainda assim o demônio e seus espíritos subordinados continuavam a rondar ambos os lados da casa geminada em West Pittston, seu objetivo final se tornando cada vez mais óbvio.

Ele queria destruir a família Smurl por meio de quaisquer métodos que fossem necessários.

Uma opção que consideramos foi fazer com que um grupo de padres se envolvesse na situação e ver se, de uma maneira coletiva, nós conseguiríamos bolar algum plano ou obter algum insight para expulsar o demônio da casa.

Para ser honesto — e digo isso como um católico bastante devoto —, não tivemos nenhuma sorte que fosse em atrair o interesse da igreja para que nos ajudassem. Os membros da diocese costumam ser céticos a respeito do sobrenatural, porque temem ser atraídos para um embuste ou algo que irá mais tarde ser explicado por meios perfeitamente lógicos.

Por volta dessa época, Janet e Jack estavam ficando desesperados. Eles ligaram uma vez para dizer que estavam considerando com bastante seriedade vender a casa, e ligaram uma outra vez para dizer que agora estavam prestes a simplesmente abandonar a casa. Contamos a eles a terrível verdade. Explicamos que o demônio poderia segui-los, do mesmo modo que os seguira até o acampamento em, pelo menos, duas outras ocasiões, e também lhes contamos que eles poderiam comprar uma casa nova apenas para descobrir que o demônio espreitava no sótão ou no porão ou até mesmo na cozinha. Nós os convencemos de que não havia nada a ganhar ao se mudarem.

Janet pareceu particularmente — o que era compreensível — deprimida por essa conversa, porque a irmã de Jack, Cindy Coleman, tinha chegado na casa dos Smurl com o marido e o filho adolescente, Davey. Cindy tivera uma experiência sobrenatural horrível na casa de Janet. Enquanto usava o banheiro, com a luz acesa, ela ficara cercada pela escuridão, como se estivesse no fundo de algum abismo. Ela permaneceu no abismo por tanto tempo que se perguntou se não perderia a cabeça. Por fim, a escuridão foi suspensa e ela voltou a enxergar o banheiro. O demônio mais uma vez demonstrou sua força, assim como tinha feito alguns dias antes quando Scott Bloom, um sobrinho, tinha visto uma figura escura de pé na varanda da frente de Jack e Janet.

Janet disse: "Estivemos conversando, Ed. Achamos que é hora de irmos a público. Talvez quando a diocese ouvir nossa história, eles serão forçados a nos ajudar".

Essa era o tipo de decisão que nem Lorraine nem eu podia tomar por eles. Era o tipo de decisão — uma muito séria que poderia muito bem ter um impacto enorme e duradouro em suas vidas e nas vidas de suas filhas — que tínhamos que deixar que tomassem por conta própria.

"Tem certeza?", perguntei.

"Sim", respondeu Janet.

"Vocês sabem que se as notícias se espalharem, vocês podem se tornar..."

"Motivos de chacota?" Ela terminou a frase por mim. "Nada pode ser pior do que aquilo que estivemos enfrentando durante as últimas semanas, Ed. Vá em frente. Veja se consegue pensar na melhor maneira de tornarmos nossa história pública."

Por "pública" Janet se referia ao público em geral. Àquela altura, muitas pessoas em West Pittston sabiam a respeito dos Smurl e de seu trágico dilema, e no geral, a maior parte tinha reagido de maneira solidária.

Mas em nossa experiência, quando o público é confrontado com algo que tanto teme quanto não compreende — pense no que Martin Luther King teve que suportar; ou o que pacientes com AIDS têm que enfrentar hoje em dia —, ele poder ser um juiz volúvel e cruel.

Eu perguntei de novo: "Tem certeza de que é isso que quer, Janet?".

Houve uma pausa, mas uma muito breve, e Janet Smurl respondeu: "Sim, sim, tenho certeza".

Na Filadélfia existe um programa de entrevistas chamado *People are Talking* ["As Pessoas Andam Comentando", em uma tradução livre], apresentado por um homem inteligente e de mente aberta chamado Richard Bey. Ele já tinha convidado Lorraine para participar do programa, então ligamos para ele e perguntamos se poderíamos levar os Smurl conosco. Prometemos a ele que os telespectadores ficariam intrigados e chocados pelo que eles tinham a dizer. Bey concordou e então impusemos certas condições. Lorraine e eu ainda tínhamos reservas sobre os Smurl revelarem suas identidades, então conseguimos a promessa de Richard Bey de que eles seriam apresentados por trás de uma tela para que não pudessem ser reconhecidos pelos telespectadores. E para que ninguém descobrisse seus sobrenomes, nós iríamos nos referir a eles apenas como Janet e Jack. Bey concordou com todas as nossas condições, e os planos foram feitos para nossa aparição televisiva.

O APRENDIZ DE DEMONOLOGISTA

A porta do porão estava fechada. Donald Bennett ouvia com atenção enquanto, perto da frente da casa geminada de Jack e Janet, Ed e Lorraine Warren andavam junto com outros dois membros da equipe mediúnica.

Agora, enquanto Donald sentia o aroma dos temperos em uma prateleira acima do fogão (noz-moscada era especialmente agradável), seus olhos se moveram até a maçaneta, e ele se perguntou se deveria ter se voluntariado para aquela tarefa, afinal de contas.

Embora Ed e Lorraine tivessem estado no porão mais cedo naquele dia, e embora Lorraine tivesse recebido muitas impressões psíquicas claras sobre o lugar e o considerado seguro, Donald sentia-se ansioso em voltar sozinho lá para baixo.

Ele abriu um sorriso débil diante de seu medo: aquilo era muito diferente de ficar deitado em sua cama na casa dos pais, comendo salgadinhos Fritos e lendo um livro sobre ocultismo.

Ao longo dos cinco meses durante os quais ele estivera se preparando para aquele dia, Donald vira inúmeras pessoas desistirem do programa. Ele até chegara a ver um homem grande e robusto do exército reduzido a lágrimas depois de passar longas horas em uma casa excessivamente infestada por espíritos malévolos.

Enquanto Donald ficava ali parado, ele ouviu o chão estalar. No crepúsculo, a cozinha estava turva pela escuridão e o som das tábuas envelhecidas o fez dar um pulo de susto.

Ele girou nos calcanhares, a mente agitada com todos os tipos de imagens sombrias e assustadoras, para encontrar Ed Warren parado ali.

"Como vai, Donald?"

"Ah, tudo bem", respondeu Donald, engolindo em seco.

Ed sorriu. "Você estava com um pouco de medo de ir lá para baixo?"

"Eu me voluntariei", disse Donald.

Ed continuou sorrindo. Ele pousou a mão no ombro de Donald. "Isso não quer dizer que um camarada não pode sentir medo, só porque ele se voluntariou, quero dizer."

Agora Donald sorriu. "Sempre pensei que eu seria corajoso."

"Acredite em mim, você é corajoso. Caso contrário, você nem estaria nesta casa."

O olhar de Donald voltou a recair sobre o metal gasto da maçaneta.

Ed disse: "Eu ficaria feliz em ir com você".

Donald agradeceu o homem mais velho em silêncio, mas então se conteve. Ele estivera esperando por aquele momento por tanto tempo, e agora iria estragar tudo para si mesmo. Ou será que iria mesmo?

"Acho que seria melhor se eu descesse sozinho", disse Donald.

"Tem certeza?"

Donald assentiu.

"Ok", concordou Ed. "Lorraine e eu vamos até o andar de cima." Ele começou a se virar, então parou. "Está certo disso?"

"Afirmativo."

O sorriso fácil de Ed apareceu outra vez. "Tenho que admitir que estou feliz por você estar fazendo isso sozinho."

Donald riu. "Por que você não desce em uns trinta minutos e me diz isso?"

"Diacho", exclamou Ed. "Eu vou até levar uma xícara de chocolate quente para você."

"Eu agradeceria", disse Donald.

Então tudo o que lhe restava era descer os degraus para o porão como estivera planejando o tempo todo.

Sozinho.

Ele preparou um gravador e colocou a fita para gravar, em seguida pegou seu livro de registros e começou a fazer anotações sobre o que via. Ele prestava contas em intervalos de cinco minutos.

Em duas ocasiões ele ouviu ruídos que não conseguiu explicar e se levantou de um pulo da cadeira de encosto reto na qual estava sentado, mas quando iluminou os arredores com a lanterna, não encontrou nada incomum ou inesperado.

Então, o melhor que pôde, voltou a se sentar e tentou relaxar.

O porão cheirava a água com sabão em pó e amaciante adocicado. Em uma das janelinhas oblongas era possível ver terra ao longo da parte inferior do vidro e em outra era possível vislumbrar um fragmento do céu noturno e nuvens douradas passando diante do quarto crescente da lua.

Depois de algum tempo, ele pegou a lanterna e iniciou um exame completo do porão, de todos os cantos, todas as fendas, todos os lugares possíveis que um espírito poderia usar como ponto de entrada ou esconderijo. Ele catalogou cada um deles com meticulosidade.

Ele estava abaixado de quatro quando ouviu algo que soava como um pedaço de giz arranhando uma lousa. Ele se levantou tão depressa que bateu a cabeça contra a lateral da máquina de lavar, com força suficiente para quase ter sido nocauteado.

Enquanto apertava a mão esquerda contra o galo que ia se formando depressa em sua testa, ele forçou um olho para ver o que tinha causado o barulho.

E foi quando viu que o som estava vindo da secadora, algum defeito no motor.

E foi assim que Ed Warren, descendo a escada com a prometida xícara de chocolate quente, o encontrou: sentado no chão, segurando a cabeça. Devido a um ferimento autoinfligido.

"O que aconteceu com você?"

"Você não quer saber", respondeu Donald.

Ed parecia preocupado.

Donald se sentiu obrigado a lhe contar. "Eu me machuquei, e nem foi um espírito", explicou Donald ao concluir a história.

Ed o ajudou a se levantar e lhe entregou o chocolate quente. Depois apontou para o relógio no próprio pulso grosso. "É, mas sabe de uma coisa?"

"O quê?", perguntou Donald, ainda sentindo dor.

"Você fez o que disse que queria fazer. Você queria ficar aqui em baixo sozinho por trinta minutos e foi isso que acabou de fazer."

Mas embora a voz de Ed transbordasse de orgulho pela realização de Donald, ele sentiu que o homem mais novo estava profundamente transtornado.

"Eu aprendi uma coisa enquanto estive aqui em baixo", disse Donald.

Apesar de saber o que Donald estava prestes a dizer, Ed manteve o rosto livre de qualquer expressão. Ele apenas deixou o homem mais novo falar.

"Eu... eu não fui feito para ser um demonologista, Ed. Isso é simplesmente muito... assustador é a única palavra que consigo pensar. Aqui embaixo eu senti coisas que prefiro esquecer o quanto antes. Eu..."

Ed colocou a mão firme no ombro de Donald. "Você não precisa se justificar para mim, Donald. Você não é a primeira pessoa a tomar essa decisão e com certeza não será a última."

"Eu só me sinto envergonhado pra diabo, acho."

Ed riu. "Envergonhado do quê? De não querer passar a vida toda procurando demônios em cantos e fendas escuras? Você acha que isso é motivo para ter vergonha?" Ele acenou com a cabeça para a escada. "Está com vontade de sair para comer uma pizza?"

"Você está de brincadeira?"

Ed sorriu. "Sou conhecido por não brincar quando o assunto é pizza."

Hoje, Donald Bennett é funcionário de uma grande corporação multinacional, é casado, e ainda tem pesadelos com aqueles trinta minutos que passou no porão. "Não é algo que sua mente algum dia deixa para lá. Sei que parece brega, mas eu estive na presença do mal verdadeiro, e isso me abalou de verdade, simplesmente me deixou paralisado, de certo modo. Eu entendi naquele momento por que pouquíssimas pessoas continuam no campo da demonologia. Isso exige demais de você."

37

UMA VIAGEM SINISTRA

Kim, Shannon e Carin ficaram em casa com John e Mary Smurl, Dawn visitava os Coleman em New Jersey e antes do anoitecer de uma terça-feira, Janet e Jack entraram na van e partiram para a Filadélfia ao longo da linda rodovia da Pensilvânia.

Era julho, e as colinas ondulantes estavam de um verde intenso.

"Tudo começou de um jeito bem tranquilo. Estávamos muito nervosos com o que estávamos indo fazer — contar nossa história na TV e tudo o mais —, mas consideramos a viagem em si muito agradável", avalia Jack. "A paisagem era ótima, e foi uma chance para ficarmos sozinhos e conversarmos sobre coisas normais. Então alguma coisa começou a chutar minhas costas."

Jack sentiu a pressão de uma bota esmagando sua coluna. O chute foi tão forte que ele foi jogado para frente contra o volante. Para evitar que o carro saísse da estrada, ele teve que desacelerar e agarrar o volante com firmeza.

Janet pôde ver que Jack de repente ficou encharcado de suor e que seu rosto tinha empalidecido. "Alguma coisa está me chutando!"

Sem uma única palavra, Janet pegou a água benta que ela levava em um frasco de aspirina. Ela aspergiu depressa o banco traseiro da van, em seguida entoou as palavras da oração que os Warren lhes tinham ensinado.

Os chutes pararam quase de imediato.

"Acho que ele não quer que contemos nossa história", comentou Janet.

Jack a surpreendeu ao sorrir. "Ótimo, então fico feliz de estarmos fazendo isso."

Mas o incidente na van não seria a única experiência demoníaca daquele dia.

Assim que chegaram na Filadélfia, Janet e Jack se hospedaram em um Holiday Inn. Tiveram um bom jantar em uma restaurante próximo, depois voltaram para o quarto.

Estiveram deitados por vinte minutos quando o colchão começou a tremer com violência. Àquela altura eles estavam familiarizados com essa forma de assombração em particular. Água benta, aspergida em grandes bocados por Janet, fez os tremores pararem, pelo menos por enquanto.

Por volta de meia-noite, a presença passou a esmurrar o colchão com golpes tão fortes que Janet e Jack não tiveram outra escolha senão se sentarem nas cadeiras e fumarem cigarros, apenas observando o demônio ter seu ataque de fúria.

De algum lugar corredor abaixo, Janet podia ouvir os risos de dois casais que voltavam para seus quartos, um pouco embriagados e se divertindo.

Como minha vida costumava ser simples, ela pensou.

Ela observou a força obscena continuar a espancar o colchão.

"Estaremos tão cansados que não faremos nenhum sentido na TV", comentou Janet.

Taciturno, Jack respondeu: "Acho que é exatamente isso que ele tem em mente, querida".

De manhã, os Smurl estavam exaustos e deprimidos. Nem mesmo em um hotel tão longe de casa eles conseguiam ter uma boa noite de sono.

ED WARREN

Lorraine estivera lutando contra um resfriado a semana inteira, então quando nos encontramos com os Smurl para o café da manhã, as únicas coisas que ela sentiu vontade de comer foram um ovo poché e um pedaço de torrada.

A sala de jantar era do tipo que você via na maioria dos hotéis modernos, bem equipado se você gosta de móveis de madeira compensada em vez de madeira de verdade, e um tanto grandioso em se tratando de design. Lorraine certa vez brincou dizendo que achava que os hotéis contratavam "madames para cuidarem da decoração de interiores". Eu tive que concordar com ela.

Os Smurl estavam com uma aparência péssima, nervosos e cansados, e depois de terem descrito a noite que tiveram, eu com certeza entendi o porquê. Eles se sentaram diante de nós na sala de jantar, brincando com o café da manhã em vez de tomá-lo e soando como se estivessem tendo dúvidas sobre participar do programa.

De esguelha, eu vi o que aconteceu com Lorraine, mas a princípio não compreendi a importância do que estava acontecendo.

Janet, assustada, disse: "Ele está aqui".

E estava mesmo.

Nossas cadeiras estavam de costas para uma parede em branco, ainda assim ali estava uma entidade invisível erguendo a cadeira de Lorraine 1,5 cm acima do chão e batendo-a contra a mesa.

Eu tateei meu bolso à procura da água benta e de imediato comecei a entoar a prece que nunca ficava longe dos meus lábios. Lorraine, há muito acostumada com as manifestações da besta, parecia ansiosa, segurando minha mão conforme eu seguia rezando.

A entidade então nos deixou. Foi possível senti-la recuar, o ar menos agitado, sua presença encolhendo e então desaparecendo.

Lorraine sorriu com coragem. "Eu diria que deixamos alguém muito zangado."

Os Smurl também tentaram sorrir, mas conseguiram apenas a sombra de uma resposta. A atitude deles não era um bom presságio para nossa aparição no programa de TV de Richard Bey.

Trabalhar na maioria dos estúdios de TV modernos é um pouco como trabalhar a bordo de um submarino. Portas enormes lacram você dentro de um ambiente que é escuro exceto por pequenas áreas iluminadas por grandes explosões de luz. As pessoas se movem como fantasmas nestas sombras profundas, carregando pranchetas e usando fones de ouvido.

Estar no estúdio apenas deixou Janet e Jack ainda mais assustados. O set se parecia com aquele da maioria dos programas de entrevistas modernos. Fomos colocados no centro da área do palco, enquanto o apresentador, Richard Bey, sentou-se à borda de um círculo iluminado. Janet e Jack encaravam a plateia de frente, embora estivessem ocultos atrás de uma tela diáfana.

Antes de o programa começar, Bey conversou com os Smurl, obviamente tentando tranquilizá-los de que, dada à configuração da iluminação, ninguém em casa seria capaz de ver seus rostos.

Pela primeira vez em horas, Janet riu. "Não é assim que eles entrevistam o pessoal da máfia?"

"Nas sombras, você quer dizer?", perguntei.

Ela fez que sim com a cabeça.

Eu sorri em resposta. "Agora que você mencionou, é assim mesmo."

Richard Bey é conhecido como um entrevistador durão. Não excessivo — nunca malicioso ou mesquinho —, mas suas perguntas estão mais para o policial malvado do que para o policial bonzinho.

Bem-vestido, bronzeado, confiante, Bey conseguiu parecer interessado de um modo genuíno na provação dos Smurl, enquanto permanecia cético quanto a algumas de suas experiências.

Ele fez as perguntas que seus telespectadores teriam feito. Como os Smurl sabiam que suas experiências não podiam ser explicadas por causas naturais? Eles eram uma família problemática e, portanto, dada ao tipo de histeria silenciosa que se pode encontrar em lares desfeitos ou conturbados? Eles já tinham procurado ajuda profissional — isto é, ajuda psiquiátrica — para ajudá-los a lidar com os fenômenos que os estavam importunando?

Esses eram os tipos de perguntas que pessoas como os Smurl sempre enfrentavam no início de uma entrevista.

Mas após aproximadamente dez minutos, algo muito curioso começou a acontecer. Antes, tanto Bey quanto a plateia tiveram o ocasional ataque de risadinhas e gargalhadas desconfortáveis, mas quando Janet e Jack começaram a contar tudo em detalhes, desde a misteriosa forma escura que se movia de um lado a outro da casa, sobre o estupro de Jack, sobre Shannon ser jogada escada abaixo, foi possível ver uma mudança gradual tanto em Bey quanto na plateia.

Onde antes estiveram céticos, agora estavam absortos e sérios.

Lorraine e eu corroboramos o que os Smurl estavam dizendo. Para a inevitável pergunta do motivo pelo qual os Smurl simplesmente não se mudavam, eu introduzi uma experiência própria. Eu expliquei que quando estive na Inglaterra, eu gravei um demônio, a voz horrível na gravação me contando exatamente o que minha esposa, que estava a quase 5.000 km de distância, em Connecticut, estava fazendo. Eu assegurei à plateia de que "entidades preternaturais, que são as negativas, transcendem a distância e o tempo, e podem seguir as pessoas para onde quer que essas pessoas vão". Para confirmar isso, eu destaquei que o demônio tinha seguido os Smurl até a Filadélfia e tinham estragado a noite deles no quarto do motel.

Então Janet e Jack falaram sobre os dois exorcismos. A plateia pareceu fascinada por esse assunto em especial. Eles perguntaram se os rituais tinham de algum modo sido parecidos com os do filme *O Exorcista*. Janet e Jack explicaram como o filme tinha sido exagerado para efeito dramático.

Enquanto eles falavam, o padre McKenna telefonou e se dirigiu à plateia no estúdio. Ele contou por que alguns de seus exorcismos davam certo e alguns não. Embora não pudesse provar essa alegação, disse ele, era sua crença que os ritos religiosos podem ter sido malsucedidos devido a alguns itens de ocultismo enterrados no terreno embaixo da casa dos Smurl.

Durante toda a entrevista, Janet expressou amargura apenas uma vez, e isso aconteceu quando surgiu o assunto da Igreja Católica. Ela disse que a família não tinha recebido praticamente nenhuma ajuda da igreja. Lorraine concordou, dizendo que era triste o modo como algumas igrejas tratavam famílias que eram assombradas e insistiu que os oficiais da igreja passassem mais tempo ajudando as famílias em vez de serem desconfiados.

Richard Bey me perguntou: "Os demônios sentem medo de alguma coisa?".

"Apenas de uma coisa, na verdade, Richard. O poder de Deus."

"É possível evocar esse poder?"

"Por meio da oração, é possível."

Bey, sorrindo, disse que após todos esses anos como investigadores psíquicos, era provável que não fôssemos os favoritos de Satã.

Eu falei: "Ele sabe quem nós somos. Ouvimos nossos nomes serem chamados em muitas assombrações."

"Isso assusta vocês?"

Lorraine respondeu: "É claro que sim, Richard. É claro que sim".

Então Bey se perguntou em voz alta se os demônios assombravam os amigos dos Smurl que estiveram na casa.

Janet contou: "Infelizmente, sim". Em seguida, ela relatou diversas das mais inquietantes experiências de seus amigos.

Por fim, chegou a hora das perguntas da plateia.

Uma mulher, claramente transtornada, indagou: "Os demônios podem seguir algum de nós da plateia para casa?".

Risinhos nervosos. "É possível", respondi, "mas bastante improvável." Então passei a lhes contar que apenas ao falarmos sobre demônios ali nós estávamos dando reconhecimento ao mundo das trevas.

"Portanto", disse, "eu visualizei toda a plateia na luz de Cristo antes de o programa começar, só para garantir."

Outra mulher da plateia compartilhou uma experiência que ela tivera com um tabuleiro Ouija e como ele lhe dissera que ela iria para o inferno. Lorraine de pronto advertiu a plateia e os telespectadores sobre os perigos de usar tabuleiros Ouija, e contou que, na maioria dos casos que ela e eu investigamos, as pessoas tinham convidado os demônios a entrar ao se comunicarem primeiro com o mundo sobrenatural por meio de ferramentas como esses tabuleiros.

Houve outras perguntas da plateia e, como sempre, descobrimos que aqueles que tinham ido para zombar acabaram sendo os mais interessados dentre todos nos assuntos ligados aos fenômenos sobrenaturais e paranormais.

Janet e Jack não relaxaram nem por um segundo, no entanto. Lorraine e eu ficamos olhando para eles e sorrindo. Você precisa compreender o que eles estavam enfrentando. Eles tinham tido uma noite horrível e agora lhes era pedido que revelassem alguns de seus segredos mais íntimos para o público televisivo. Não era o tipo de autoanálise que a maioria de nós gostaria de fazer em público.

A última pergunta de Richard Bey foi a mais sombria de todas. Ele queria saber a minha opinião a respeito do objetivo final do demônio.

Eu lhe respondi com simplicidade. "Ele quer destruir os membros das famílias Smurl."

"Por quê?"

"Em nossa experiência, descobrimos que forças diabólicas odeiam famílias amorosas. Os Smurl vivem à imagem de Deus, e esse demônio considera isso totalmente repugnante. Então ele quer destruí-los."

Bey quis saber se nós éramos capazes de impedir o demônio.

"Temos esperanças de que sim", respondi.

Gostaria que minhas palavras tivessem soado mais confiantes e decididas, mas devido a tudo o que tinha acontecido ao longo dos últimos meses, e relembrando alguns de nossos outros casos, eu sabia que às vezes os demônios triunfavam por algum tempo, até que investigadores psíquicos e membros ordenados do clero pudessem encontrar meios de impedi-los.

O programa chegou ao fim, a plateia aplaudiu os Smurl longa e calorosamente, e eu consegui ver nos rostos cansados do casal algo parecido com gratidão.

Mais tarde, Janet disse: "A plateia foi muito gentil conosco".

Lorraine comentou: "Eles sabiam que vocês estavam falando a verdade e respeitaram vocês por isso".

Jack me disse: "O que faremos a seguir?".

"Tudo o que *podemos* fazer é esperar e ver o que acontece. Precisamos ficar em contato constante pelo telefone."

Janet disse, os olhos lacrimejando: "Neste momento, eu só queria ver nossas filhas".

Lorraine se inclinou e lhe deu um beijo na bochecha. "Isso parece ser uma boa ideia. Por que vocês não vão embora agora? Podem chegar em casa antes do jantar."

Parados no estacionamento, nós acenamos despedidas, sorrindo o tempo todo.

Mas quando ficamos sozinhos, eu disse: "Gostaria de estar me sentindo melhor sobre isso".

"Eu sei", disse Lorraine. "Eu sei. Estou quase temerosa sobre o que vai acontecer nos próximos dias. Se o demônio ficou zangado o suficiente para segui-los até aqui..."

Ela não precisou terminar a frase.

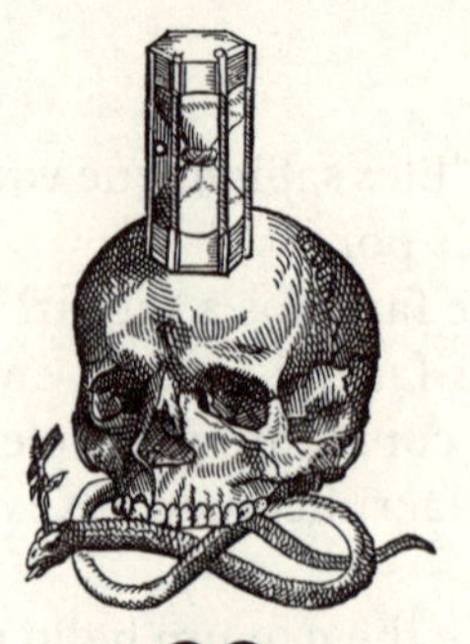

38
A RETALIAÇÃO DO DEMÔNIO

Durante as duas semanas seguintes, a vida na casa geminada dos Smurl em West Pittston se tornou quase insuportável.

Justamente como os Warren tinham temido, a assombração aumentou em ferocidade.

"O dia em que Janet e Jack apareceram no programa de TV foi um dos piores dias no nosso lado da casa. As batidas ficaram tão altas em determinado momento que na verdade tivemos que sair da casa. Por fim, a barulheira diminuiu o bastante para que pudéssemos voltar para dentro com as meninas, mas então as batidas começaram no lado de Janet e Jack. Estavam altas o bastante para nos manter acordados a noite toda", diz Mary.

"Naquele mesmo dia eu comecei a sentir os frios psíquicos outra vez. Era como se alguma coisa estivesse sugando o calor do meu corpo. Eu me lembro de tremer com tanta intensidade que estava com medo que meus dentes fossem trincar. Também fiquei preocupado com a Mary. Dada a condição de seu coração, o médico disse que a pior coisa que poderia acontecer com ela era estresse constante, e era isso que todos nós estávamos enfrentando. Estresse constante, o tempo todo", adiciona John.

Três noites depois, adormecida, Janet Smurl sentiu as cobertas sendo puxadas de cima de seu corpo em movimentos sinuosos e jogadas no chão.

Conforme suas pálpebras se abriam, trêmulas, e sua cabeça começava a se agitar com a sensação desorientadora de estar perdendo o controle do corpo, ela viu que agora estava suspensa em pleno ar.

O que foi ainda mais espantoso foi que, deitada perfeitamente de bruços, ela estava sendo carregada através do quarto.

Como se estivesse vivenciando uma experiência em gravidade zero, ela se chocou contra a parede do quarto, depois quicou de volta.

Então o demônio parou de se divertir com ela e a feriu com brutalidade.

Janet diz que jamais vai esquecer. "Ele me girou diversas vezes e depois me jogou contra a parede do outro lado. Pouco antes do impacto, eu cruzei as mãos atrás da cabeça para protegê-la contra a colisão. Então o demônio me virou tão depressa e em um ângulo tal que minhas mãos e braços ficaram estendidos. Eu tive apenas alguns segundos para me colocar em posição fetal porque pude perceber que o demônio ia me catapultar contra a parede de novo, dessa vez tentando quebrar minhas mãos e braços. Durante todo o tempo que isso acontecia, eu gritava para o Jack acordar, implorando de verdade, mas é claro que o demônio tinha cuidado para que o Jack estivesse mergulhado em um sono psíquico. O que enfim aconteceu eu nem consigo descrever direito. Tudo no que conseguia pensar era de estar em um transe. Eu via tudo em nosso quarto escuro com muita clareza, mas, ao mesmo tempo, tinha a sensação de estar presa entre dois mundos, neste e no além, quase como se estivesse pendurada entre a vida e a própria morte — e então de repente eu estava deitada ao lado do Jack e estava chorando, descontrolada de verdade, e ele acordou e tentou me acalmar, perguntando o que tinha acontecido, e eu mostrei a ele os hematomas por ter sido jogado contra a parede pelo demônio, e depois voltei a cair no choro. Eu temia que tivesse sido empurrada para além do meu limite. Sabe como é? Quando você não consegue mais lidar com as coisas? Foi assim que eu fiquei. Eu realmente não conseguia mais lidar com as coisas."

O teste para saber até onde ia o limite de Jack aconteceria na noite seguinte.

"As crianças tinham conhecimento do que tinha acontecido com a mãe delas, de ser levitada e tudo o mais, então elas a deixaram descansar o dia todo e fizeram todas as tarefas domésticas sozinhas, e até ajudaram com o jantar. Elas podiam ver como a saúde dela estava ficando precária. Eu disse a Janet para ligar para Ed e Lorraine enquanto eu estivesse no trabalho, só para mantê-la tranquila. Bem, ela fez isso, e conversar com eles ajudou bastante. Quando cheguei em casa nós jantamos e assistimos um pouco de TV. Janet estava exausta, exaurida, então mandamos as crianças para cama cedo e depois também fomos nos deitar cedo. De acordo com o relógio digital, eu estive adormecido por mais ou menos meia hora antes de ouvir a coisa", recorda Jack.

A "coisa" a que Jack se referiu era uma criatura de aproximadamente 2,40 metros de altura que se erguia sobre duas pernas, mas tinha, em cima dos ombros largos, uma cabeça peluda com olhos vermelhos ofuscantes e um focinho parecido com o de um porco. Parada ao pé da cama, a criatura babava e salivava, depois arranhou o ar com dedos semelhantes a ancinhos, dando a impressão de estar ameaçando eviscerar Jack. Ainda mais repugnante do que o formato do rosto da criatura eram os ruídos salivantes de seus lábios, que lembravam pedaços de fígado, conforme eles sugavam ar e saliva.

Janet acordou com o grito do Jack. "Quase de imediato eu também comecei a gritar, apesar de, àquela altura, a criatura que ele descreveu já tivesse sumido. Eu nunca tinha visto Jack ficar abalado daquele jeito por nada antes. Ele tinha se jogado para fora da cama e deitado todo enrolado no chão. Ao luar era possível ver que todo o seu corpo estava coberto de suor. Suas mãos formavam punhos que ele ficava batendo no chão. Não dava para saber qual emoção nele era mais forte, medo ou raiva. A família toda estava passando por aquilo. Estávamos *cansados* de sentir medo, mas também não queríamos nos render ao demônio. Eu desci da cama e me deitei ao lado de Jack no chão e lentamente comecei a passar minhas mãos com delicadeza para cima e para baixo em suas costas, tentando acalmá-lo. Sua respiração ainda vinha em golfadas longas e ofegantes. Eu demorei dez minutos para conseguir acalmá-lo. Então ele me disse: 'Agora eu sei qual aparência o inferno terá'. Ele tentou descrever a criatura para mim outra vez, mas tinha ficado sem palavras que dessem conta do recado. Eu não estava lá muito interessada em imaginar a coisa, de qualquer maneira. Eu não precisava ser convencida de que a forma que o demônio tinha assumido era nojenta — eu já tivera bastante experiências com ele. Levei o Jack para a cama e desci o corredor e peguei um copo de água para ele. Quando voltei, ele estava com um rosário nas mãos. Seus lábios estavam se movendo em uma oração silenciosa. Mas era para seus olhos que eu ficava olhando. Ele ainda estava em algum tipo de choque. Era óbvio que ele não conseguia esquecer o que acabara de ver. Ele ficou acordado a noite toda daquele jeito."

- Ao longo das semanas seguintes, diversos membros da equipe Warren visitaram os Smurl e eles voltavam com relatos cada vez mais bizarros sobre como se tornara a vida na residência.
- Gloria Dmohoski, a mãe de Janet, em uma visita à casa dos Smurl, ouviu uma voz parecida com a de Jack chamando-a, mas quando foi investigar, descobriu que não era Jack de modo algum, mas uma voz que apareceu do nada.
- Alguns dias depois, Mary Smurl ouviu uma voz parecida chamando-a. De novo, quando ela fez uma verificação pela casa, não encontrou nada.
- No dia seguinte, Jack foi atacado às 2h por forças invisíveis que escaldaram suas pernas com algum tipo de calor intenso. Apenas água benta foi capaz de extinguir a dor causticante.
- Janet e Jack foram impedidos de dormir à noite toda pelo toque intermitente do telefone. Isso despertou e aborreceu as garotas, e o casal passou grande parte da noite tentando convencer as meninas de que tudo estava bem.
- Na noite seguinte, as pancadas nas paredes recomeçaram em uma série de três batidas, um sinal do demônio.
- Na mesma noite, por volta das 3h, o telefone começou outra vez, três toques em cada torrente e, portanto, a família, incluindo todas as meninas, simplesmente deixou suas camas e desceu até a cozinha, onde Janet preparou sanduíches para todos. Janet encontrou graça na situação: "Que jeito ridículo de fazer um piquenique!", disse ela à família, enquanto as batidas nas paredes prosseguiam.

O incidente da noite seguinte não foi tão engraçado.

Com o calor muito intenso — West Pittston estava quebrando recordes —, Janet e Jack dormiam com poucas roupas e com todas as cobertas, exceto o lençol, jogadas no chão.

Rua abaixo, um cachorro latiu, uma motocicleta levando um jovem casal para um encontro tardio passou zunindo pela rua, as sombras de pesadas folhas de bordo brincavam sobre a forma adormecida de Jack. Janet observava o marido com carinho. Durante a provação dos últimos anos, ela passara a admirá-lo e respeitá-lo mais do que nunca.

"Foi quando eu estava deitada lá, ficando toda sentimental em relação ao nosso relacionamento, que senti a névoa se formando. Era uma névoa muito fina, quase como borrifos do mar, e eu a senti antes de vê-la. Eu me lembro de tentar tocar meu rosto e então perceber que não conseguia mexer o braço. Eu estava em algum tipo de estado hipnótico. Então o homem apareceu. Ele tinha olhos muito brilhantes, quase como néon, que eram uma mistura de amarelo e verde, e dois chifres animalescos se projetavam da cabeça. Estranhamente, ele também tinha um bigode muito basto. A névoa cobria o rosto dele para que eu não pudesse dar uma boa olhada em suas feições — apenas os olhos queimando nas cavidades de seu rosto. Não tive dúvidas do que ele queria e me lembro de desejar estar usando mais roupas. Eu sabia que tinha que quebrar o encanto que ele tinha lançado se quisesse impedir que fizesse o que queria comigo. Diversas vezes tentei gritar, mas nenhuma palavra saía da minha garganta, e então eu rezei a Ave-Maria. Eu podia ouvir minha voz falhando e soando como a voz de uma criança, de tão fraca que estava, mas, pelo menos, eu conseguia ouvi-la. Conforme eu dizia as primeiras palavras da Ave-Maria, pude ver os olhos da criatura cintilarem com um ódio ainda mais profundo por mim. Então de repente minha voz ficou bem alta, suponho que por causa do desespero, e vi a criatura começar a se desmaterializar. Meu braço começou a funcionar outra vez. Apanhei a garrafa de água benta e aspergi a criatura com ela, e, por fim, ela desapareceu por completo."

"Era hora de medidas drásticas, e nós dois sabíamos disso", afirma Jack. "Tínhamos que analisar a vantagem e a desvantagem. A vantagem era que, claro, se fôssemos a público, revelássemos nossos nomes e identidades, alguém poderia ouvir nossa história e entrar em contato conosco com as informações que precisávamos para livrarmos nossa casa da assombração. Esperávamos que houvesse mais alguém por aí que tivesse enfrentado as mesmas coisas e que pudesse ter algumas sugestões para nós. Com certeza não poderíamos ser as únicas pessoas a ter esse tipo de experiência sobrenatural. Chegamos até a sentir, quando nos sentamos e conversamos sobre isso, que quando os padres da cúria diocesana ficassem sabendo, eles sentiriam tanta vergonha que seriam obrigados a nos ajudar. Como poderiam nos recusar quando nosso apelo se tornasse tão público? A desvantagem era o que mais temíamos: que uma vez que o público ouvisse nossa história, as pessoas se virassem contra nós, nos vissem como lunáticos ou caçadores de publicidade. Tanto eu quanto Janet somos pessoas orgulhosas, principalmente quando se trata de nossas filhas, e não queríamos vê-las submetidas ao ridículo e à suspeita. Mas quanto mais conversávamos a respeito, mais percebíamos que tínhamos que fazer isso — ir a público e ver se conseguiríamos encontrar ajuda —, mesmo com o risco de nos expormos ao ridículo."

ED WARREN

No domingo daquela semana, os Smurl nos ligaram depois de fazerem uma longa reunião em um restaurante, na qual decidiram realmente ir a público com sua história — nem sequer se esconderem por trás de uma tela para ocultar seus rostos e identidades.

Lorraine e eu acreditávamos que o súbito desejo de Janet e Jack de encontrar um fórum público oferecia uma possibilidade muito boa — que a diocese de Scranton teria que reconhecer, afinal, que algo estava acontecendo em West Pittston, algo que eles ainda precisavam levar a sério. Eu também concordei com Jack, quando conversamos naquela noite ao telefone, que havia, pelo menos, a chance de alguém bem versado na história de West Pittston aparecer com alguma informação vital.

Eu também levantei a possibilidade de mais exorcismos.

"Mais?", exclamou Jack. "Ed, nós já tivemos dois."

Eu expliquei a ele que às vezes inúmeros exorcismos eram necessários, e que nós estivemos envolvidos em casos onde dúzias de exorcismos tiveram que ser realizados antes que as entidades diabólicas fossem expulsas de uma casa.

Então eu o alertei quanto à reação do público.

"Eu sei", suspirou Jack. "Pode ser bem ruim."

Escolhi as palavras seguintes com muito cuidado, sem querer chateá-lo sem necessidade, mas querendo que ele compreendesse a gravidade do que eu estava dizendo. "A reação do público começa a ter vida própria, Jack. Isso pode se transformar em um circo bem depressa, sobretudo com a mídia envolvida. Em um dia você pode ser um herói e no seguinte você pode ser um patife — ou um mentiroso. Você precisa ter cuidado com isso, em especial quando algo tão volátil quanto o sobrenatural está envolvido." Fiz uma pausa. "Só quero que esteja ciente disso."

"Você está dizendo para não fazermos isso?"

"Não, só estou tentando preparar você. Somos amigos, Jack."

Um silêncio, então: "Temos que fazer isso, Ed. Temos que fazer".

Apesar de todos os argumentos que eu lhe dera indicando o contrário, eu sabia que isso era o certo.

Depois de um estupro sobrenatural e de, pelo menos, dois incidentes que podiam com muita justificava serem chamados de potencialmente fatais, e sem nenhum fim aparente em vista, Janet e Jack não tinham outra escolha a não ser assumirem o risco derradeiro — o risco de se exporem a um público volúvel e, às vezes, cruel.

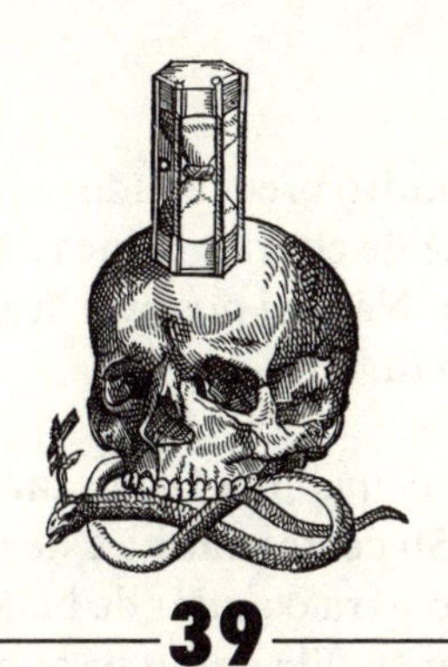

39
O DIABO ENCARNADO

P: Jack, pode nos contar o que aconteceu na noite em que a besta apareceu para você?
R: Não foi uma época feliz.

P: O que isso quer dizer?
R: [*Longo silêncio.*] Isso quer dizer que estávamos começando a nos perguntar se *alguma coisa* que fizéssemos iria melhorar nossa situação.

P: Você poderia explicar?
R: Isso foi alguns dias depois de termos decidido revelar ao público nossa história.

P: Entendo.
R: E foi algumas semanas depois de nossa aparição na televisão.

P: Vocês tinham tido alguma reação à aparição no programa de Richard Bey?
R: Esse foi o problema. Recebemos muitos telefonemas solidários — pelo menos nenhum dos lunáticos ligou —, mas infelizmente ninguém foi capaz de nos ajudar com nosso problema. O melhor que podiam fazer era nos desejar o bem.

P: Então essa foi uma época deprimente?
R: Sim, como você sabe, as atividades da assombração estiveram intensas. A forma escura apareceu no quarto da Shannon no meio da

noite e nós ficamos muito preocupados com ela. Não conseguimos fazer com que parasse de chorar. Nunca antes a tínhamos visto tão dominada pelo pesar. Não foi possível acalmá-la, não importava o que dizíamos ou fazíamos.

P: Alguma coisa aconteceu com a Dawn também?

R: Sim. Ela acordou às 5h certa manhã e desceu para pegar um copo de água. No caminho para o andar de baixo, ela ouviu três batidas altas na porta da frente. Ela subiu para me chamar, mas quando cheguei lá embaixo, não tinha ninguém. Nós dois voltamos para a cama e, então, durante os próximos quinze minutos ele deu a mim e a Janet um verdadeiro show— dando pancadas dentro do closet, batendo as gavetas da cômoda e virando os puxadores da cômoda para cima e para baixo. Mas isso tinha sido basicamente o procedimento padrão de operação durante as semanas anteriores. Após o programa de TV, ele pareceu ter essa necessidade de restabelecer seu domínio.

P: Você poderia nos contar sobre o incidente com Simon?

R: Eu estava deitado na cama — Janet estava adormecida, mas eu estava tendo dificuldades para pegar no sono —, então eu só fiquei ali deitado fumando um cigarro no escuro quando ouvi Simon começar a arfar. Esse é o único jeito que consigo descrever o que aconteceu. Ele simplesmente não conseguia respirar. Uma sensação horrível me acometeu. Amo Simon quase tanto quanto amo minhas próprias filhas. Eu tinha começado a descer da cama para ver o que havia de errado com ele quando, então, senti uma presença na cama ao meu lado. Veja, não cheguei a ver essa presença, mas eu a senti. Havia uns estrondeantes batimentos cardíacos, muito regulares e muito altos, preenchendo o quarto, e então alguma coisa agarrou meu braço direito com tanta força que pensei que a coisa iria literalmente esmagá-lo. Em seguida, um odor muito fétido começou a encher minhas narinas e fiquei com medo de desmaiar. Lancei minha mão esquerda na direção da mesinha de cabeceira — consigo me lembrar do barulho de diversas coisas sendo derrubadas no chão, mas não me importei — e de algum modo peguei a água benta e a aspergi em mim e recitei a oração que o Ed e a Lorraine tinham nos ensinado, e então a coisa enfim foi embora.

P: E o que aconteceu com o Simon?
R: Quando fui até ele, ele estava bem, graças a Deus. Ele estava com medo, dava para perceber. Estava enrolado em um canto e ainda meio que gania bem baixinho, mas quando comecei a fazer carinho, ele se acalmou.

P: Então você voltou para a cama?
R: Sim.

P: E aconteceu mais alguma coisa nessa noite?
R: Sim, um pouco mais tarde, eu fui até o banheiro e foi quando a vi. Nada do que tinha visto antes poderia ter me preparado para aquilo.

P: Pode descrevê-la para nós?
R: Vou tentar. Gostaria de ser melhor nesse tipo de coisa. [*Pausa.*] Era enorme, para começo de conversa. Tinha duas pernas animalescas — eu diria que se pareciam com patas de cavalo —, parte do rosto era humano e a outra parte, o focinho, acho, era de um animal, com narinas pretas úmidas e pelo marrom cobrindo a maior parte do crânio e do rosto. Tinha quadris arredondados que eram cobertos de pelos e tinha olhos que pareciam... brilhar, não tem outro jeito de descrever. Eles brilhavam, mas, ao mesmo tempo, também eram humanos. A coisa me viu e golpeou o ar com mãos — ou cascos — que pareciam metade humanas e metade animais. A coisa fez um som de resfolegar que quase me deixou nauseado quando o ouvi. Vi tudo isso em um vislumbre assim que acendi a luz, e quase de imediato a criatura partiu para cima de mim. A parte mais ameaçadora daquela coisa foi o seu tamanho absurdo. Aquela coisa tinha pelo menos 2 metros de altura. Tudo o que consegui pensar era que um cavalo e um humano tinham se fundido de uma maneira muito grosseira — e então a coisa estava golpeando o ar diante de mim.

P: O que você fez?
R: Eu saí correndo pelo corredor.

P: A coisa foi atrás de você?
R: Com toda certeza. Apesar de o nosso corredor ser acarpetado, a coisa estava correndo com tanta força atrás de mim que dava para ouvir o barulho dos passos pesados que seus cascos faziam sobre o carpete.

P: Isso se parece um pouco com a criatura que você tinha visto algumas semanas antes.
R: Parece sim — com toda certeza —, mas havia algo mais assustador nesta última.

P: O que você fez?
R: Subi na cama e pressionei minhas costas contra a cabeceira e comecei a esticar a mão para a água benta.

P: Começou?
R: A coisa ainda estava cortando o ar diante de mim.

P: E o que aconteceu depois?
R: Depois eu apanhei o livro de orações de cima da mesinha de cabeceira e o levantei na direção da criatura, e então ela passou correndo por cima da cama.

P: *Por cima* da cama?
R: Sim. Ela era real — pude sentir seu cheiro e ouvir e sentir quando ela correu por cima da cama —, mas então ela apenas sumiu parede adentro.

P: Tem certeza de que não foi um sonho?
R: Não, porque enquanto ficava lá sentado — e eu estava bastante abalado; estava à beira das lágrimas e não importava o quanto tentava, não conseguia acordar a Janet —, eu podia sentir o odor no quarto. Assim como a Janet, quando ela enfim acordou.

P: Isso não fez você pensar duas vezes a respeito de ir a público?
R: Não, de um jeito estranho isso nos fez decidir que ir a público era a única coisa que nos restava. Porque a entidade estava realmente perdendo o controle. Mary e John estavam sendo incomodados de novo, passando muitas noites insones por causa das batidas, e então até nossos vizinhos começaram a ser arrastados para nossos problemas.

P: Quem eram esses vizinhos?
R: Daniel e Louise Harrington.

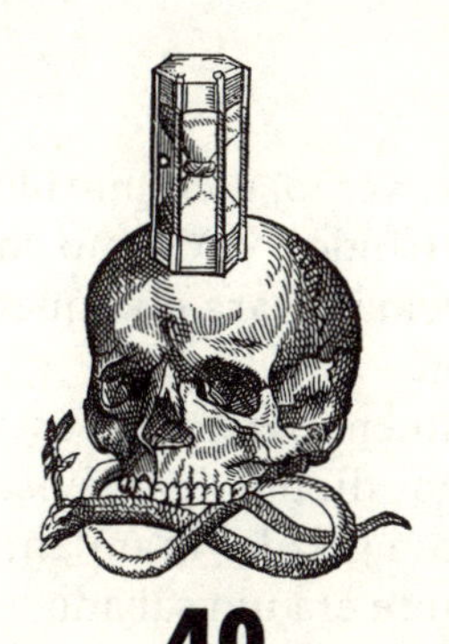

40

DECLARAÇÃO DE LOUISE HARRINGTON

Alguns meses antes, coisas estranhas começaram a acontecer com minha família — meu marido, Daniel, que é um agente de seguros; minha filha, Julie, de 21 anos; meu filho, Darrell, de 16. Janet Smurl tinha me contado algumas coisas que tinham acontecido na casa dela.

Como uma enfermeira licenciada, eu vi a devastação de doenças mentais bem de perto — a crença absoluta por parte de uma personalidade psicótica de que alguma coisa aconteceu quando na verdade não ocorreu nada.

Embora eu com certeza não achasse que Janet, ou qualquer membro de sua família, fosse psicótica, suas revelações eram tão esquisitas que eu francamente não sabia o que pensar delas.

Hoje em dia, por causa dos filmes e da televisão, todos temos pelo menos um conhecimento rudimentar sobre o oculto. Mas o que Janet me contou era diferente de qualquer coisa que eu já tinha visto na TV. A maior parte não era tão dramática — no que ela me contou não havia nenhum monstro em si, mas a luminária despencou do teto e odores terríveis enchiam a casa, e havia batidas quase constantes nas paredes.

Vindo de Janet, que é uma pessoa muito equilibrada, foi tudo plausível, mas eu ainda tinha que me perguntar se sua imaginação não estava fazendo com que dissesse disparates.

No verão de 1986, de súbito e de maneira convincente, descobri que não.

Nas noites quentes de verão, meu marido e eu costumamos ficar acordados até tarde assistindo TV. Mesmo com todas as janelas abertas a casa fica quente demais para qualquer sono prolongado. Você acorda banhado em suor.

Aquela noite de verão em particular estava batendo recordes de calor, então nos sentamos diante da televisão assistindo a um filme policial e bebericando chá gelado. Eram 2h, e o filme tinha acabado de começar. O dia seguinte era um sábado, então poderíamos ir dormir tarde. O filme estivera passando por talvez cinco minutos quando a gritaria começou.

A princípio, os gritos foram tão terríveis que quase soavam fingidos, com isso quero dizer que existe um jeito que as mulheres gritam nos filmes que quase nunca se parece com o jeito que elas gritam na vida real. Aquilo soava mais como os gritos de um filme.

A gritaria continuou por pouco mais de um minuto, depois desvaneceu.

"Meu Deus", exclamou meu marido, "o que foi isso?"

"Não sei ao certo", disse eu.

Ele se levantou e foi até a varanda da frente, olhou em volta e voltou para dentro. "Não vi nada."

Com meu coração martelando no peito, esperamos mais alguns minutos antes de nos permitirmos ficar absortos no filme outra vez.

Estivemos assistindo-o por vinte minutos quando a gritaria começou de novo.

Dessa vez foi tão penetrante, desesperada e ameaçadora que eu fui praticamente arrancada do sofá.

"Está vindo da casa dos Smurl", disse Daniel.

"Mas isso é impossível", discordei. "Janet me contou que a família toda estava indo acampar esse fim de semana. Nós os vimos saindo hoje de manhã, lembra?"

"Deus, você tem razão", disse Daniel. "Mas o quê..."

Então outra explosão de gritos estourou no ar noturno. Visto que nossa casa fica muito perto da dos Smurl, o som da mulher berrando poderia muito bem estar vindo da nossa própria sala de estar.

Daniel foi até a janela lateral e olhou para a casa dos Smurl. Enquanto os gritos continuavam, ele disse: "Parece estar vindo do quarto da Dawn e da Kim".

E esse parecia ser o caso. Eu esquadrinhei a casa dos Smurl com atenção, ouvindo os sons atordoantes, apesar de eles estarem começando a me assustar de verdade e me deixando exasperada.

"Mas quem poderia estar lá dentro?", perguntei.

Ele me lembrou do que Janet tinha dito sobre a assombração.

Tudo no que eu conseguia pensar era em fantasmas correndo com lençóis, como crianças no Halloween, mas eu sabia que estávamos lidando com algo real e sério ali — e talvez até mortal.

Nenhum de nós dormiu bem naquela noite. Ficamos levantando para dar uma olhada nas crianças. Por instinto, parecemos entender que a força agindo na casa dos Smurl — e àquela altura não tínhamos nenhuma dúvida de que o que Janet estivera nos contando era absolutamente real — poderia de algum modo ameaçar nossos filhos.

Assim que Janet e Jack retornaram, nós fomos até sua casa geminada e lhes contamos a respeito de nossa experiência. Eles compartilharam conosco alguns conselhos dados a eles por seus amigos Ed e Lorraine Warren e nos disseram para rezarmos para que a entidade não nos incluísse em seus planos.

Algumas noites depois, Daniel e eu descobrimos que a entidade tinha de fato decidido se impor em nossas vidas.

Nossa filha Julie é universitária. Se a palavra "normal" pode ser aplicada a alguém, com quase toda certeza se aplica a ela, passando grande parte de seu tempo em um mundo de pizza, rock and roll, garotos e, felizmente, uma atitude muito séria quanto aos estudos.

Por volta das 2h, eu estava assistindo TV depois do trabalho (eu trabalho em um turno noturno e ainda estou ligada quando chego em casa). Meu marido estava dormindo no quarto da frente e Darrell estava dormindo no quarto do meio. O quarto da Julie fica nos fundos da casa.

Julie foi acordada pelo ruído de arranhões na janela. A janela fica no segundo andar e não há nenhuma árvore ou arbustos em volta. Ela se perguntou se alguém poderia estar tentado arrombar a janela.

É claro, eu não sabia de nada disso até ela descer e falar: "Tem alguma coisa no meu quarto, mãe. E está congelante lá em cima". Então ela me contou sobre os arranhões.

Eu não sabia o que pensar daquilo, portanto, sendo protetora, pedi que fosse até mim e se sentasse comigo. Seu medo era contagioso — eu também estava com medo de entrar no quarto dela. Ela ficou sentada comigo até mais ou menos 4h e depois eu a acompanhei de volta ao seu quarto. Nenhuma de nós dormiu bem naquela noite.

Infelizmente para minha filha, essa não seria sua única experiência com o sobrenatural.

Uma semana depois do incidente com os arranhões, ela desceu a escada correndo em sua camisola amarela. Ela parecia estar congelando, os braços cruzados com força diante do peito, os dentes batendo. Eu me perguntei se ela de repente tinha pegado uma febre.

"Eu tinha pegado no sono, e quando acordei percebi que meu corpo todo estava arrepiado e trêmulo", confessa Julie. "Às vezes, no inverno, você chuta as cobertas para longe enquanto está dormindo e quando acorda está congelando de verdade. Foi assim, só que pior. Meu corpo todo estava tremendo. Eu não conseguia parar. Quando despertei por completo, foi como se eu estivesse dentro de um frigorífero. Sério. O pior era que aquela era uma noite muito quente de verão. E de novo senti aquela *presença* no quarto comigo. A tentação foi de apenas ficar lá deitada, porque eu ainda estava sonolenta, mas sabia que alguma coisa grave iria acontecer comigo se eu não me forçasse a sair da cama e ir procurar minha mãe."

Quando perguntei para Janet Smurl a respeito da experiência de Julie, ela me contou que aquilo era algo que tinha acontecido com suas filhas muitas vezes. Eu também descrevi para Janet as outras coisas estranhas que estiveram acontecendo — nossa porta da frente abrindo e fechando sozinha no meio da noite. A princípio eu tinha pensado que poderia ser nosso outro filho, Eddie, chegando tarde, mas eu desci para dar uma olhada e ali estava, abrindo e fechando — isso aconteceu duas vezes —, sem ninguém à vista.

É claro que Janet soube em primeira mão que minha família estava sendo arrastada para a assombração dos Smurl. Meu filho Darrell estava na casa dos Smurl certa tarde com Dawn e o primo dela, Scott Bloom. Dawn e Scott foram para a cozinha, deixando Darrell sozinho na sala de estar. Ele ficou ali sentado sozinho por muitos minutos lendo uma revista e então ouviu barulhos de batidas vindos da mesa de centro. Ele olhou embaixo da mesa, mas não encontrou nada. Ele não conseguiu ver nada que pudesse causar aquelas batidas. Aos poucos, ele chegou à conclusão de que havia uma presença na sala. As batidas continuaram quando Dawn e Scott voltaram para o cômodo. Darrell descreveu para Dawn o que estivera acontecendo. "Não se preocupe", disse Dawn. "Você se acostuma."

Mas Darrell se sentiu estranhamente exausto, exaurido. Mais tarde, Janet me explicou como a entidade realmente suga a energia dos seres humanos para se sustentar. Tudo o que eu soube quando Darrell apareceu à soleira da porta me contando sobre sua experiência com as batidas era que meu filho parecia pálido e abalado. Eu o coloquei na cama de imediato. Ele continuou exausto por muitas horas.

E a assombração continuou a fazer parte de nossas vidas: Julie, ao telefone certo dia, ouviu o fecho magnético do seu armário de roupas ranger ao abrir e então, depois de inúmeros segundos, voltar a fechar. Julie sentiu um ser no quarto com ela. Ela bateu o telefone e saiu correndo do quarto, aterrorizada.

"Às vezes, no verão, eu gosto de sair para caminhar quando não consigo dormir", diz Daniel. "Nesta noite em particular eu fiz isso, e quando voltei para casa, vi que a casa dos Smurl estava completamente escura. Então lembrei que eles estavam viajando. Comecei a subir os degraus para minha casa geminada e foi quando ouvi — um barulho farfalhante muito alto se movendo de janela em janela dentro da casa dos Smurl. Dava a impressão de que algum pássaro gigantesco estava preso ali dentro e estava tentando desesperadamente sair dali. Depois começaram batidas nas janelas, batidas muito agudas, quase como tiros. Não me importo em admitir que não fiquei por perto para o ver restante do show. Subi os degraus correndo e entrei na minha casa, fechei todas as janelas e verifiquei todas as fechaduras das portas."

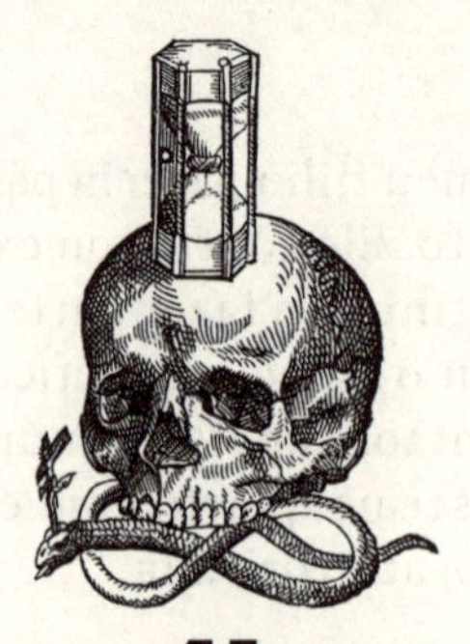

41
APENAS UMA FUGA TEMPORÁRIA

Duas semanas depois da conversa telefônica na qual Jack Smurl contara a Ed Warren que ele e Janet tinham decidido ir a público, os Smurl ainda tinham que tomar alguma atitude para tornar sua decisão uma realidade.

"Todas as vezes que íamos pegar o telefone e ligar para um jornal ou emissora de TV, um de nós, ou os dois, dizia que talvez fosse melhor pensar nisso mais um pouco. Relembrando, eu diria que era provável que estivéssemos tentando enrolar até algum tipo de solução aparecer que não envolvesse nos revelar para a mídia", lembra Jack. "O prospecto disso ainda era tão inquietante quanto a assombração em si."

Não que Jack não tivesse mantido contato com os Warren durante esse período. "Nós conversávamos quase todos os dias, e conversávamos sobre uma ideia que eu quase sentia medo de mencionar por ser tão radical — mas esse com certeza era meu estado de espírito à época. Muito radical. Eu só queria me livrar da assombração.

"Minha ideia era simples. Perguntei a Ed e Lorraine se eles achavam que seria uma boa ideia se mandássemos demolir e aplanar a casa, e depois nos mudássemos. Nós sofreríamos perdas financeiras exorbitantes, mas, pelo menos, isso poderia representar um novo começo para nós — para todos nós, para Janet e as meninas, e para minha mãe e meu pai também.

"Veja, eu sabia o que Ed iria dizer — que a entidade já tinha provado que podia nos seguir, e tinha de fato nos seguido, até a área de acampamento, até o motel na Filadélfia, e inclusive até meu escritório.

"Contudo, quando analisei tudo com cuidado, pensei ter discernido um certo padrão: que embora a entidade nos seguisse, quando deixava a casa ela não parecia cometer atos tão atrozes quanto aqueles que cometia dentro da casa geminada.

"Então pedi ao Ed sua opinião sobre demolir a casa e depois nos mudar. E com certeza me lembro de sua resposta."

"No dia em que Jack telefonou e disse que estava pensando em demolir a casa, o lar que ele trabalhara a vida toda para ter, eu soube que os Smurl estavam em uma posição muito perigosa", lembra Ed. "Na verdade, parte de mim se perguntou se o demônio já não tinha derrotado a família. A outra parte da conversa que me incomodou foi que Jack estava desesperado em obter respostas que eu não podia, com toda honestidade, proporcionar. Será que o espírito os seguiria? Será que o espírito seria tão maldoso em uma casa nova? Será que o espírito ficaria com eles pelo resto de suas vidas? Em alguns casos anteriores de infestação, nós tínhamos visto esse tipo de desespero antes, e ver isso é sempre de partir o coração, sobretudo quando você vê isso em um homem tão bom e confiável como Jack Smurl. Uma grave injustiça tinha sido cometida contra ele e sua família, e ele estava pedindo — implorando, na verdade — pela minha ajuda, qualquer tipo de ajuda, agora na forma de conselhos. Então naquele dia eu fiz tudo o que pude. Disse que não achava que demolir e aplanar sua casa era uma boa ideia. Disse que seria um processo caro e doloroso, e que não haveria absolutamente nenhuma garantia de que isso fosse alcançar o objetivo que ele estava tentando alcançar. Disse que talvez, se ele pensasse a respeito um pouco mais, um plano melhor iria se desenvolver, um que não seria vê-lo destruindo algo do qual ele e seus pais tinham tanto orgulho. Com relutância, ele concordou comigo. Tenho que dizer que depois de desligarmos, eu me senti péssimo, e Lorraine e eu começamos a rezar pelas famílias Smurl no mesmo instante. Tínhamos visto algumas famílias levadas ao limite, e posteriormente serem empurradas para além desse limite. Será que isso aconteceria com os Smurl? Nós nos perguntamos."

Jack tinha terminado sua conversa com Ed naquela tarde. Durante o restante do dia, desanimado porque nenhuma das suas ideias estava dando certo, Jack ficou na cozinha fazendo anotações sobre os quase dois anos de uma assombração severa e vendo se algum plano novo se insinuava.

Sem que percebesse, o crepúsculo surgiu arroxeado nas janelas.

Janet, após terminar de lavar a louça do jantar, sentou-se com Jack e perguntou se ele queria conversar. Ele parecia extenuado, e ela estava preocupada com ele.

"Começamos a conversar sobre um bom número de opções, as quais incluíam alugar uma casa por algum tempo, mas sabíamos que as meninas iriam sofrer, e também nos perguntamos qual seria o impacto na vida de Mary", diz Janet. "Então havia o prospecto de alugar uma casa com novos vizinhos e fazer com que descobrissem por meio de algum incidente que éramos uma família sitiada pelo sobrenatural. Quero dizer, seria bastante embaraçoso mudar para um prédio de apartamentos e fazer as pessoas embaixo de nós ouvirem cascos fendidos correndo para cima e para baixo pelo corredor.

"Ficamos sentados por umas duas horas. As crianças se prepararam para ir para suas camas, deram um beijo de boa-noite no pai e subiram para o segundo andar, e nós continuamos ali sentados, conversando sobre o que poderíamos fazer. Todas as vezes que pensávamos que nada podia ficar ainda pior, a situação piorava. E aquele momento foi um ótimo exemplo. Ali estava o Jack com uma semana de férias, e em vez de estarmos nos divertindo, estávamos na cozinha ruminando sobre a assombração. E em algum lugar ali, a ideia nos ocorreu. Nem tenho certeza de quem teve a ideia primeiro e isso não importa. Ali estava ela, e era algo no qual deveríamos ter pensado antes, algo que iria, para todos os efeitos, ser o mesmo que demolir nossa casa, algo que iria nos permitir ver o quão ruim a infestação tinha se tornado e o que iria acontecer se as duas famílias Smurl se mudassem. Ao amanhecer do dia seguinte, nós tínhamos colocado as malas na van e estávamos partindo para o acampamento. Também estávamos rindo. Estávamos com uma verdadeira sensação de otimismo."

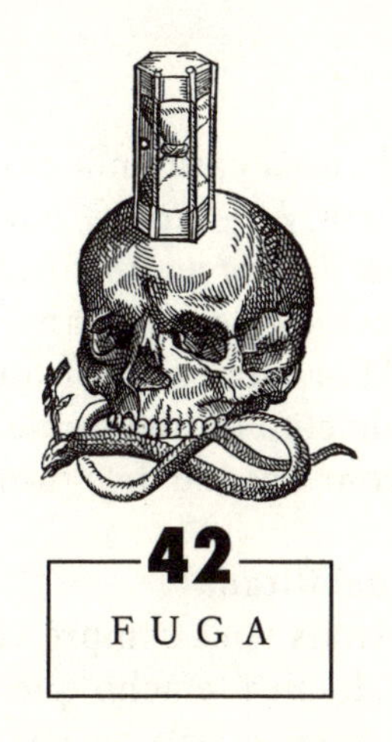

42
FUGA

O experimento que ambas as famílias Smurl tentaram não foi bem-sucedido. Mary Smurl foi entrevistada em detalhes a esse respeito.

P: Mary, do que se tratava todo o experimento?
R: Nós sentimos — todos nós — que se todos deixássemos a casa vazia por uma semana, poderíamos ver como o demônio reagiria. Se ele iria nos seguir e, se sim, o que iria fazer.

P: Então vocês sentiram que se todos passassem uma semana no acampamento e nada acontecesse, então estariam seguros para se mudar e o demônio não iria segui-los?
R: Sim.

P: Você estava tão otimista quanto Janet e Jack?
R: Àquela altura estávamos preparados para tentar — e talvez até acreditar — em praticamente qualquer coisa.

P: Então não foi necessária muita persuasão para fazer vocês prepararem as malas e irem com eles na van?
R: Nenhuma persuasão sequer.

P: Seu marido, John, tinha a mesma opinião?
R: Sim. O que você tem que se lembrar é que no intervalo de alguns poucos anos, nós tínhamos sido forçados a nos mudar de nossa casa em Wilkes-Barre por causa da enchente, e então finalmente

tínhamos encontrado uma casa onde poderíamos passar nossos anos de aposentadoria, e — [*longa pausa*] — você sabe o que estou querendo dizer. [*Longa pausa.*] Tudo o que John conseguia dizer, inúmeras vezes na semana antes de partirmos para o acampamento era: "Por que essa coisa quer nos fazer sofrer?". Ele estava preocupado com minha saúde, e eu estava começando a ficar preocupada com a saúde dele também.

P: **A saúde dele estava debilitada?**

R: Bem, na TV e nos jornais você sempre vê matérias sobre a relação entre estresse e doença, e acho que é difícil para a maioria das pessoas compreender o tipo de estresse que estávamos enfrentando. E eu me refiro a um estresse constante. Quando alguém escreve sobre uma batida na parede isso pode não parecer tão ameaçador assim. Mas acredite em mim, quando você está sentado na sua sala de estar e de repente alguma coisa começa a bater dentro da sua parede, todo o seu corpo reage. De acordo com o artigo, o estresse prejudica seu sistema imunológico. Dá para perceber; todos nós estávamos sendo acometidos por resfriados, gripes e dores de cabeça. E com certeza não era preciso se perguntar por quê.

P: **Então vocês tinham esperanças de que uma semana no acampamento iria lhes mostrar uma maneira de escapar?**

R: Sim, apesar de termos investido todo nosso dinheiro na casa geminada, estávamos dispostos a perder o que tínhamos e recomeçar. Sentíamos que se nossa fé em Deus fosse forte o bastante, nós conseguiríamos. Então é por isso que fomos para o acampamento. Nós até fizemos um pacto.

P: **Um pacto?**

R: Sim. Janet, Jack, John e eu. Combinamos que não importava o que acontecesse, não importava onde o demônio nos forçasse a morar, nós iríamos continuar vivendo juntos como uma família. Janet até chegou a dizer: "Se tivermos que deixar nossa casa vazia e alugar uma segunda casa para fazer isso, nós iremos. Essa coisa não vai nos derrotar. *Não vai!*". Foi um momento muito emocionante, John e eu ficamos com os olhos marejados.

P: **Você poderia descrever a área do acampamento?**
R: Ah, é do tipo que você vê nas colinas da Pensilvânia, meio que parecida com um vilarejo, na verdade, quando você coloca todos os trailers e os carros juntos. Um problema que tivemos logo de cara foi o tempo. Nuvens escuras carregadas de chuva pendiam baixo no céu e estava friozinho para um dia de verão.

P: **As nuvens de chuva foram um presságio?**
R: [*Hesitação.*] Você quer dizer como um augúrio?

P: **Sim.**
R: [*Pausa.*] Podem ter sido.

P: **As coisas não correram bem no acampamento?**
R: Não.

P: **O que aconteceu?**
R: [*Outra longa pausa. Fica óbvio para o entrevistador que Mary está reunindo suas forças. Ela começou a se remexer.*] O demônio atacou minha cama no trailer.

P: **Você poderia descrever isso para nós, por favor?**
R: A cama é pregada ao chão. Não tem como movê-la. Naquela primeira noite — aconteceu pouco depois de meia-noite —, eu estava dormindo no trailer quando ouvi pancadas muito fortes e rápidas no teto e no chão. Comecei a sair da cama, mas antes que conseguisse, senti a cama toda sendo arrancada do chão, puxada para a esquerda e depois puxada para a direita. Dava para ouvir os pregos rasgando o chão.

P: **Alguém foi ajudar você?**
R: Eu gritei, é claro, mas uma característica do demônio é sua rapidez. O incidente todo acabou antes que alguém pudesse chegar até mim.

P: **Simplesmente acabou?**
R: Simplesmente acabou.

P: ***[A saúde frágil de Mary nunca esteve tão aparente quanto durante esta entrevista. Enquanto fala, seus olhos assumem uma estranha característica luminosa e qualquer que seja a raiva que ela sente*** *pelo demônio, esta é dissipada pela pura exaustão física.*] Quais foram seus sentimentos naquele momento, Mary, a respeito de toda a situação?

R: [*Longa pausa.*] Estava ficando óbvio que além de ser capaz de nos seguir, o demônio podia fazer basicamente o que quisesse.

P: Como foi a semana no acampamento daí em diante?

R: [*Ela olha para o entrevistador e balança a cabeça. Suas palavras são quase inaudíveis.*] Daí em diante as coisas só pioraram. Pioraram muito.

P: Mas coisas assim já não tinham acontecido quando Janet e Jack tinham visitado o acampamento antes?

R: Sim, mas o que deveria ter sido especial naquela viagem era que as duas famílias tinham deixado a casa vazia. Em um sentido muito real, nós tínhamos entregado a casa para o demônio como um tipo de sacrifício. Queríamos ver se ele responderia nos deixando em paz no acampamento.

P: Então se ele tivesse deixado vocês em paz...

R: Então saberíamos que o que ele queria era alguma coisa na própria casa e todos nós iríamos nos mudar. Faríamos o que Janet tinha dito: "Vamos alugar, se precisarmos". Mas nos mudaríamos de imediato e ficaríamos juntos independentemente do que acontecesse.

P: Então quando o demônio tentou arrancar sua cama do chão, qual foi a reação?

R: A primeira coisa foi, é claro, que todos ficaram muito assustados por minha causa.

P: Qual foi a reação geral deles em relação ao demônio?

R: Apesar de todos termos concordado que era cedo demais para saber ao certo como a semana iria se desenrolar, tínhamos uma grande suspeita, sinto dizer, do que nos aguardava. Acabou sendo uma semana terrível, e lamentei termos levado Scott Bloom, porque as coisas ficaram bastante difíceis para todos. Mas antes disso tivemos muitas esperanças de que seriam férias de verdade.

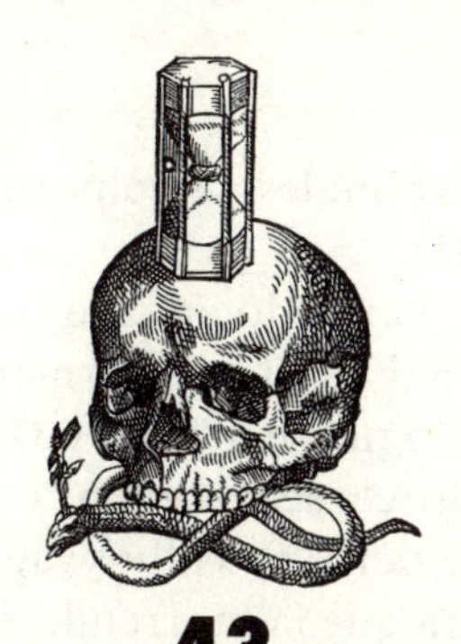

43
UMA COMPREENSÃO PERTURBADORA

Eram 3h, o terceiro dia da viagem de acampamento. Jack estava deitado desperto, ainda pensando a respeito do incidente que acontecera por volta da meia-noite, quando levantara em resposta a um grito de seu pai deitado em um beliche perto da frente do trailer.

"Não consegui acreditar", dissera John Smurl para o filho, em um tom de voz ansioso. "Senti todo o colchão ser erguido de baixo de mim. Fiquei com medo de ser arremessado contra a parede. Então olhei para fora da janela." John Smurl balançara a cabeça, exausto devido ao seu encontro com o sobrenatural. "Vi uma forma branca aparecer do lado de fora da janela — eu diria que ela estava vestida de chiffon — e ela ficou ali parada por um momento e depois simplesmente se afastou. Simples assim!"

Jack abraçara o pai para fazer o homem mais velho parar de tremer.

A raiva surgiu dentro de Jack, um sentimento que ele conhecia muito bem àquela altura, um sentimento com o qual ele não sabia como lidar.

Portanto agora eram 3h, e ele estava acordado.

Àquela altura, o quarto dia de sua estadia no acampamento logo adiante, ele sabia a resposta para a pergunta que fora até lá para encontrar. Aonde quer que Jack Smurl fosse, a entidade iria segui-lo.

Ali na penumbra, o luar lançando longas sombras através das janelas do trailer, o aroma de fumaça da madeira da fogueira no lado de fora agradável no ar — ali na penumbra a entidade respondeu à amargura de Jack Smurl.

O barulho de cascos animalescos golpeando o teto de metal penetrou a escuridão como tiros.

Jack sentou-se ereto, banhado em suor e querendo atacar fisicamente a força invisível que o estava atormentando. Ele correu até o centro do trailer onde a água benta era guardada. Armado com um frasco do líquido sagrado, ele se pôs em pé e começou a aspergir todo o teto. Conforme o fazia, deixou os olhos vagarem até a área de acampamento, para a fogueira que ia morrendo e os carvalhos frondosos de verão que os cercavam.

Sentada no banco de uma mesa de piquenique, parecendo calma e tranquila como um campista contente, estava a forma escura sem rosto e encapuzada que Jack sabia ser o próprio demônio.

Um ódio que ele não conhecera antes — um ódio cego que o transformou em um ser que era mais animal do que homem — acometeu Jack, e ele se chocou contra a porta do trailer com tanta força que quase a arrancou das dobradiças.

Janet acordou de súbito e pulou para conter o marido. Ela nunca o vira tão furioso antes.

Uma olhada pela janela lhe mostrou por que ele estava tão enfurecido. A forma escura os tinha seguido.

Tudo o que conseguiu compreender naquele instante era que precisava impedir Jack de confrontar a forma.

Jack escancarou a porta e começou a descer os degraus.

"Não!", gritou Janet. "Você não sabe o que ele vai fazer com você!"

Mas Jack não pareceu ouvi-la. Seus olhos estavam fixos na forma escura e translúcida sentada no banco, chamas da fogueira tremeluzente lançando um brilho vermelho misterioso sobre seu corpo demoníaco.

Na mão de Jack, Janet notou naquele momento, havia uma garrafa. Uma arma.

"Não!", gritou ela outra vez e esticou a mão para Jack, tentando contê-lo.

Mas em vão. Jack se desvencilhou de suas mãos e andou — caminhou de modo ameaçador, na verdade — na direção do demônio, que se sentava em plena vista como se estivesse esperando por Jack.

"Jack tinha acabado de sair do trailer quando a coisa desapareceu como sempre fazia — apenas sumiu. Não consigo descrever o alívio que senti. Senti tanto orgulho do meu marido por querer nos defender, mas ao mesmo tempo não queria vê-lo machucado. Eu sabia que sua raiva estava dando ao demônio a desculpa perfeita para matá-lo, e era contra isso que eu estava rezando."

Os dias remanescentes da viagem de acampamento não foram melhores.

"Mais para o final da semana, Mary estava muito fatigada. Na maioria das noites ficávamos acordados ouvindo os ruídos no teto ou sentindo os cheiros que a coisa soprava para dentro do trailer. Isso cobrou seu preço, não há dúvida quanto a isso", relata John.

Dawn foi até a mãe certo dia e disse: "A vovó está chorando, mãe. É melhor você ir ajudá-la".

Janet encontrou Mary Smurl no trailer, chorando.

"Dava para ver os efeitos que a semana toda tivera sobre ela. Sua saúde não estava forte para começo de conversa, e aquela semana tinha praticamente acabado com ela", lembra Janet.

O tempo também não estava ajudando. Era difícil desfrutar de uma semana ao ar livre quando uma garoa contínua caía durante a maior parte do tempo, ou quando a temperatura despencava quase até os 10°C.

Restavam mais duas noites do passeio que tinham planejado. Janet perguntou a Jack se ele queria voltar a West Pittston: "Não seria como admitir derrota, querida?".

Janet suspirou, forçada a concordar com ele.

Naquela noite, Scott Bloom e Dawn ouviram um gemido terrível. Dawn: "Foi como alguma coisa saindo do túmulo, juro".

Jack acordou no instante em que o gemido perdia intensidade. Ele pegou sua lanterna e deu a volta pelo trailer, mas não encontrou nada.

Quando voltou para o trailer, descobriu que sua família tinha sido outra vez forçada quase até o limite.

Bem cedo, Jack foi até o gerente da área de acampamento e contou ao homem que a família estava voltando para casa.

"Um dia antes?", indagou o homem.

Jack franziu o cenho. "Está acontecendo de novo."

Anteriormente, Jack confidenciara ao homem o que estivera acontecendo durante os últimos anos, incluindo os incidentes sobrenaturais que tinham acontecido ali, no acampamento. Jack temera que o homem lhe dissesse que a família Smurl não era bem-vinda ali. Em vez disso, o homem fora muito solidário, como foi agora. "Posso ajudar de alguma maneira?"

Jack abriu um sorriso sombrio.

"Gostaria muito que pudesse."

Sob a garoa, o céu de um cinza-ardósia invernal, as colinas circundantes perdidas atrás de uma suave névoa prateada, a família Smurl fez as malas. Aquela não fora a viagem pela qual tinham esperado.

Jack lutou contra a raiva que ameaçava sobrepujá-lo. Ele sabia que precisava permanecer no controle pelo bem de seus entes queridos.

No caminho de volta para casa, Carin dormiu com a cabeça no colo de Janet.

Quando acordou, Carin começou a chorar baixinho.

Ninguém precisou perguntar por quê.

LORRAINE WARREN

Ed e eu estivemos trabalhando em um outro caso no norte de Nova York quando os Smurl voltaram para casa e nos telefonaram para contar a respeito de suas experiências no acampamento.

E os distúrbios tinham apenas aumentado quando voltaram para casa. A casa foi dominada pelo odor de matéria fecal assim que abriram a porta, e, alguns dias depois disso, aconteceu um incidente com o qual nós nunca tínhamos nos deparado em todos nossos anos como investigadores psíquicos.

Pedimos que Janet o descrevesse em detalhes:

P: Você se lembra de alguma coisa especial sobre aquela manhã?

R: Eu estava muito, muito cansada. A viagem ao acampamento tinha me deixado esgotada. Isto aconteceu alguns dias depois de nosso retorno e eu ainda estava na cama às 10h, o que não era muito do meu feitio. Mas por alguma razão, provavelmente uma combinação de exaustão e depressão, eu não conseguia mesmo me arrastar para fora da cama. E foi então que aconteceu.

P: Você poderia descrever o incidente?

R: [*Longa pausa.*] Posso tentar.

P: Foi a mão humana.

R: Sim. A mão que parecia ser de um ser humano.

P: E ela veio de onde?

R: Atravessou direto o colchão.

P: Essa mão atravessou direto o colchão?
R: Enquanto eu estava deitada.

P: Ela tentou sufocar você?
R: Não, ela só me agarrou pela nuca e me prendeu.

P: Ela se parecia com a mão de um humano?
R: Sim. Era muito forte, dava para sentir os músculos, quente e meio que — pegajosa, acho, ao mesmo tempo.

P: Você tentou se desvencilhar?
R: Tentei, mas não adiantou de nada.

P: Você não conseguia se mover?
R: Exato.

P: O que você fez?
R: Foi muito estranho. Eu só meio que me conformei. Antes eu sempre resistia, mas depois que percebi que não conseguia me mexer, pensei, do que adianta? [*Longa pausa.*] Na verdade, eu comecei a conversar com ela.

P: Com a mão?
R: Sim, e com o demônio que controlava a mão.

P: O que você disse?
R: Eu disse: "Não me importo com o que você fizer comigo. Se quiser me matar, vá em frente. Não vou resistir nem nada. Estou começando a perder a vontade e talvez até minha sanidade, então por que você não vai em frente e acaba logo com isso — me pegue aqui e agora, mas deixe o resto da minha família em paz".

P: E o que aconteceu?
R: A mão desapareceu.

P: Simples assim?
R: Simples assim.

P: A assombração deu uma trégua por algum tempo depois disso?

R: Não, e foi então que percebi que o demônio sentia bastante prazer em nos atormentar. Ele gostava de extrair nossas energias. Nesse sentido, ele era como um vampiro que precisa de sangue, só que esse demônio precisava do nosso calor corporal e de nossa energia espiritual, e ele gostava de nos manter bem no limite. O tempo todo. Bem no limite.

P: Então a assombração prosseguiu?

R: Justamente naquela noite as batidas nas paredes recomeçaram, e então no dia seguinte eu vi o Simon meio que ser atraído misteriosamente até o nosso closet no andar de cima onde o demônio gostava de morar. Eu quase não consegui pegar o Simon antes de ele entrar. E mais tarde, no quarto, eu ouvi uns sussurros que começaram a se transformar em gemidos e eu fiquei... [*Longa pausa.*]

R: [*Delicadamente.*] **Você ficou o quê?**

R: [*Pausa.*] Fiquei com medo de estar perdendo o juízo.

P: Por causa dos sussurros, você quer dizer?

R: De tudo. Você começa mesmo a duvidar da própria sanidade. Aqui tudo ao seu redor parece muito familiar — carros e eletrodomésticos e alimentos —, só que tem alguma outra coisa também, alguma outra dimensão que outras pessoas não têm que suportar. E quando você fica exposto a essa dimensão por tempo suficiente, bem, é óbvio, ela começa a cobrar seu preço de você e de todos à sua volta. Jack chegou em casa naquela tarde e eu estava chorando para valer. Eu apenas não conseguia lidar mais com aquilo. Ele teve que me deixar sentar em seu colo como se eu fosse uma garotinha. Eu realmente não conseguia lidar com aquilo. Havia uma parte de mim que queria que o demônio aceitasse minha proposta — sabe, que ele poderia tirar minha vida se apenas deixasse minha família em paz. Desse modo haveria paz para todos. Desse modo o demônio enfim nos deixaria em paz. Quero dizer, sabíamos, depois de ficar no acampamento por uma semana, que não haveria paz para nós. Não importava para onde fôssemos, ele nos seguiria [*Começando a chorar com suavidade*] não importava para onde fôssemos.

P: Ele chegou a aparecer para você e para sua mãe, não é?

R: Sim.

P: Você poderia nos contar?

R: [*Recompõe-se.*] Por volta das 22h da noite seguinte, minha mãe, Gloria, nos fez uma visita. Sentamo-nos na cozinha e vimos uma forma branca, quase ofuscante, aparecer no outro lado da porta de tela. Ela possuía a intensidade de uma exibição de fogos de artifício com um centro muito, muito branco. Aos poucos vimos que quanto mais a fitávamos, mais ela se parecia com a forma escura que tinha aparecido tantas vezes antes, só que esta era de um branco-dourado. Minha mãe segurou minha mão o tempo todo em que a forma ficou ali e, depois, quando desapareceu, ela começou a chorar. Eu raramente a tinha visto tão transtornada; ela costuma ser uma pessoa controlada. Mas então me dei conta de como estava acostumada com os fenômenos sobrenaturais e tinha que levar em consideração que para outras pessoas tais eventos eram perturbadores. Dei um abraço na minha mãe e a segurei por bastante tempo, e depois voltamos a nos sentar à mesa e tivemos uma conversa muito íntima — o medo intenso que tínhamos compartilhado nos tinha aproximado ainda mais, e eu lhe disse o quanto a amava e me preocupava com ela e ela me disse as mesmas coisas.

P: Na mesma época, o demônio estava agindo contra John Smurl também, não estava?

R: Ah, sim. Na manhã seguinte John estava se preparando para ir trabalhar quando ouviu uma voz dizer: "Você não acha que eu fico sexy na cama?" Veja, era de se esperar que a pessoa falando fosse Mary, mas é claro que não era. Mary estava dormindo e John sabia disso. Ele me contou que ficou parado por uns dois minutos quase assustado demais para se virar — com medo do que veria —, mas quando enfim se virou, não havia nada. Apenas vazio. O demônio tinha começado a imitar as vozes dos membros da família.

P: O demônio também criou uma nova maneira horrível de aterrorizar vocês, não foi?

R: Sim. Atacando dois lugares ao mesmo tempo. Enquanto Kim estava no banheiro com Simon, ele começou a sussurrar para Simon e Kim o ouviu, e exatamente no mesmo momento, no outro lado da casa geminada, ele apareceu para Mary na forma de um cachorro muito grotesco que correu para debaixo do sofá.

P: Ele também apareceu para Shannon?
R: [*Suspiro.*] Shannon estava dormindo durante uma trovoada muito forte e quando acordou, viu uma forma branca, muito parecida com aquela que minha mãe e eu tínhamos visto, com "olhos pretos muito grandes", como ela os descreveu para nós. O demônio também esteve ativo mais tarde naquela noite, implicando com Simon outra vez. Ele fingiu ser um gato, e de dentro do closet vinham os sons de um gato miando. Simon correu até a porta do closet. Nós o abrimos para ele ver se de fato tinha um novo companheiro para brincar, mas era apenas o demônio pregando peças de novo. [*Risos.*] Na verdade, se você pudesse ver a decepção na cara do Simon quando ele descobriu que não tinha nada lá dentro — bem, foi bem engraçado.

Infelizmente, para Janet e Jack, a cara triste do Simon seria o último motivo de risos que a família iria desfrutar nos muitos longos dias vindouros.

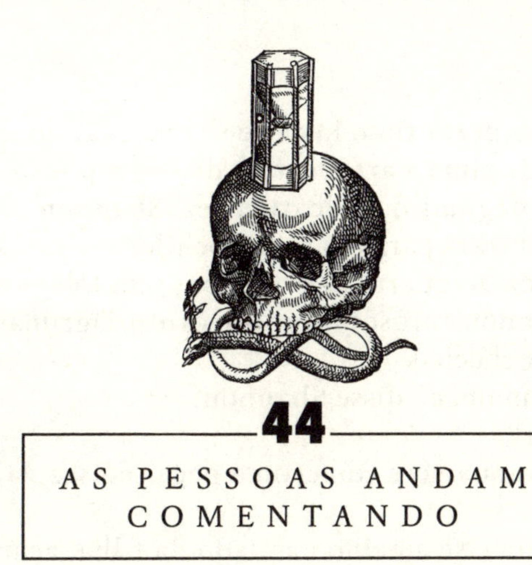

44
AS PESSOAS ANDAM COMENTANDO

Na terça-feira daquela semana houve um telefonema do produtor do programa de TV *People Are Talking*, convidando os Smurl para voltarem, mas Janet recusou com delicadeza. Embora houvesse cada vez mais conversas sobre irem a público, nenhuma decisão final tinha sido tomada. Além disso, como Janet brincou com Jack naquela noite: "As pessoas andam comentando de qualquer jeito, quer a gente apareça no programa ou não".

Os Smurl estavam bastante cientes de quantas pessoas em West Pittston estavam comentando a respeito de seus problemas. Amigos contavam para outros amigos e logo o nível de percepção se tornou bem alto.

Às vezes, quando o demônio não estava transformando sua vida em um pesadelo, Janet gostava de se sentar diante da janela e observar as meninas brincando na rua. Nesses momentos ela encontrava uma paz que raramente era sua naqueles dias, a paz de ser um elo em uma enorme corrente. Sua mãe tinha sido um elo e agora ela, como mãe, era um elo, e algum dia as quatro garotas seriam elos. Ela observava enquanto Carin pulava corda e cantava "London Bridge". Janet imaginou por quantas décadas, ou talvez até mesmo séculos, as crianças estiveram cantando "London Bridge", e se deleitou durante os vinte minutos seguintes observando como o sol pintalgava o asfalto, a grama e os arbustos. Era agosto e era possível ver os primeiros indícios do outono nas colinas que iam ficando amarronzadas ao longe. O ar estava quente, mas não quente demais, e Janet, com a cabeça no sofá, se permitiu o luxo de se entregar ao sono — até os gritos no andar de cima a arrancarem de seu repouso.

Ela galgou os degraus dois de cada vez. Shannon não estivera se sentindo bem e entrara para tirar um cochilo.

Quando chegou ao quarto de Shannon, sem fôlego e amedrontada, Janet viu Shannon enroscada em um canto, lágrimas enormes escorrendo pelas bochechas.

"Um homem, mamãe", disse Shannon.

"Que homem?"

"Ele entrou no quarto e começou a pegar coisas da minha caixa de brinquedos."

Janet foi até ela e se ajoelhou ao lado da filha, acariciou seu cabelo, beijou sua bochecha molhada. "Meu bem, talvez você tenha sonhado com isso."

"Eu não estava dormindo, mamãe. Eu estava brincando. De qualquer maneira, ele já entrou aqui antes."

"Entrou?"

Shannon assentiu de uma maneira sombria.

"Você pode descrever esse homem para mim, meu bem?"

"Ele é grande e anda meio que esquisito, e os olhos dele são bem escuros e... dói olhar para ele. E ele cheira mal. Ele cheira muito mal."

"Ele tentou machucar você de algum jeito?"

"Ele só olha para mim, mamãe." Ela pousou a cabeça no ombro de Janet e começou a chorar baixinho. "Ele me assusta, mamãe. Ele me assusta de verdade."

45
INDO A PÚBLICO

Quando Jack chegou em casa naquela noite, Janet estava em uma de suas dietas "metade-metade" — metade nicotina, metade cafeína.

Parado na soleira da porta da cozinha, observando como sua esposa estava tensa, Jack pressentiu que ela estava à beira de outra crise.

Ela se virou da janela e havia lágrimas em seus olhos.

"Ele esteve no quarto da Shannon outra vez, esta tarde", informou ela.

Jack xingou.

Bem baixinho, ela disse: "Está na hora".

Ele não teve que perguntar sobre o que ela estava falando.

"E se eles rirem?"

"Então deixemos que riam", disse Jack.

"E se nos chamarem de loucos?"

"Então deixemos que nos chamem de loucos."

"E se eles rirem de nossas filhas?"

A dor nos olhos dele foi mais do que ela conseguia suportar. Ela abaixou o olhar. "Desculpe ter dito isso."

"Não", disse ele, "não, você tem razão. Talvez eles irão rir das crianças."

"Isso seria difícil de aguentar."

"Mas você sabe o que seria ainda mais difícil?"

"O quê?"

"Assisti-lo nos destruir um por um e não resistir de todas as maneiras que pudermos." Ele tocou a mão dela. Sombras noturnas apareciam arroxeadas na janela da cozinha. As estrelas estavam brilhantes no nebuloso pedaço de céu. "E isso significa expô-lo. Isso significa forçar a diocese a se envolver e isso significa deixar que todos na comunidade saibam o que está acontecendo aqui, mesmo que algumas pessoas riam mesmo de nós." Ele fez uma pausa. "Você concorda?"

Ela demorou bastante tempo para dar uma resposta, e quando a deu, sequer foi uma palavra. Ela apenas fez que sim com a cabeça. Um aceno simples, mas cheio de significado.

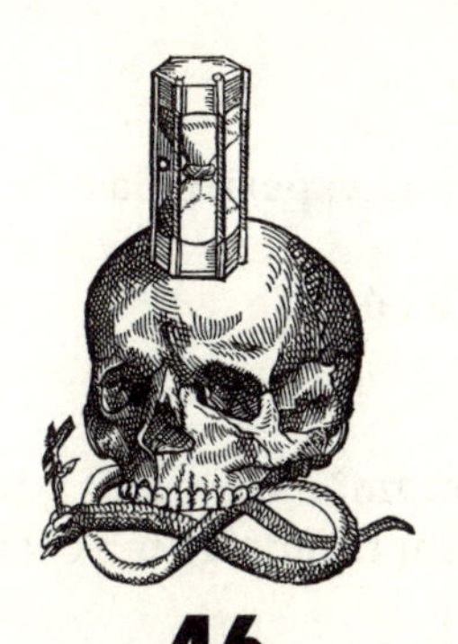

46

A CALMARIA ANTES DA TEMPESTADE

Sentaram-se juntos noite adentro, fazendo planos. De manhã, Janet iria mais uma vez apelar para a diocese e depois iria, se a cúria diocesana se recusasse a ajudar, ligar para uma jornalista da redação do *Sunday Independent* de Wilkes-Barre chamada Sandy Underwood.

De manhã, após uma noite sem nenhuma evidência do demônio, Janet virou de lado e envolveu o corpo do marido em um abraço. "Isso é meio que como antigamente", disse ela em um tom sentimental.

"Pacífico", disse ele.

Então ela o cutucou e riu. "Não... corrido." Ela pulou da cama e disse: "Lembra como costumávamos gostar de ficar na cama até o último minuto e depois tínhamos que sair correndo? Bem, adivinhe que horas são?".

Jack virou de lado e olhou para o relógio. Ele tinha 45 minutos para chegar no trabalho. "Deus, eu perdi mesmo a hora."

"Você ficou me pedindo para apertar o botão da soneca."

Ele a beijou, riu. "Ótimo." Então a risada desvaneceu. "Você se lembra de tudo que tem que fazer?"

"Lembro."

"Eu realmente espero que a diocese decida consentir e nós não precisemos apelar para o jornal."

Teimosa, Janet disse: "Acho que isso cabe a eles decidir".

Ele a beijou de novo e disse: "Boa sorte, querida. Espero mesmo que dê certo".

Enquanto Jack tomava banho, Janet vestiu um roupão e desceu para preparar o café da manhã.

Janet Smurl relata aqui sua experiência com a cúria diocesana:

P: Você telefonou para a cúria?
R: Sim.

P: E o que eles lhe disseram?
R: Basicamente que iriam fazer alguma coisa para nos ajudar.

P: Eles definiram o que seria essa coisa?
R: Eles com certeza deram a impressão de que seria algo como enviar um padre.

P: Então você não ligou para o jornal naquele dia?
R: Não.

P: Um padre foi até vocês?
R: Não.

P: Você voltou a ligar para a diocese?
R: Conversamos sobre isso, mas pensamos, do que adiantaria? Durante toda a sua vida você é criado para acreditar na bondade da igreja, e então você passa por algo assim. Bem, isso acaba com você. Esse é o único jeito que consigo me expressar. Isso acaba com você.

P: Então, ao final, vocês apelaram para o jornal?
R: Não ao final. Poucos dias depois.

P: E vocês apelaram a eles porque a igreja não ofereceu ajuda?
R: Isso, e por causa do que aconteceu com o Jack.

P: E o que aconteceu?
R: Um súcubo apareceu pela segunda vez, quase um ano depois de ter atacado pela primeira vez. Foi devastador.

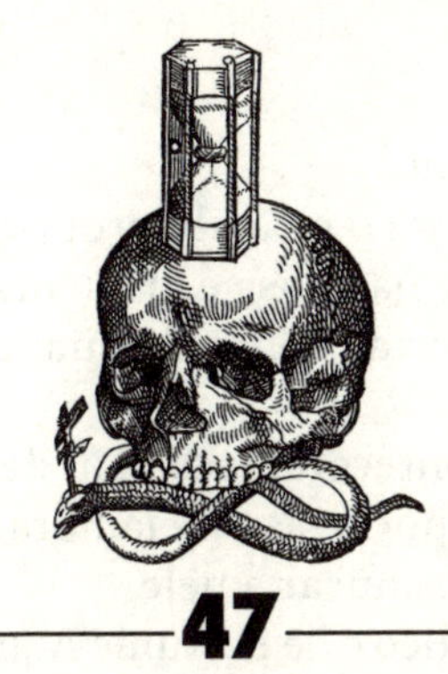

47
O SEGUNDO ATAQUE

Era o amanhecer.

Um sol de verão vermelho e redondo abria caminho por entre as nuvens já nebulosas com poluentes, lançando um brilho quase sangrento no quarto onde Janet e Jack Smurl dormiam.

E então Jack despertou de súbito.

Uma jovem voluptuosa estava em cima dele, cavalgando-o em uma posição de dominação sexual. Apesar de sua beleza e do prazer que claramente desfrutava, seus olhos reluziam com um verde-néon chocante e doentio.

Ao seu lado, Janet dormia. Jack sabia que ela estava em um profundo sono psíquico.

A despeito de suas preces, o súcubo não foi contido. Ainda na forma de uma jovem bonita cuja nudez de alabastro era apenas complementada pelo brilho avermelhado do sol nascente, o súcubo se aproveitava de Jack sexualmente, montando nele inúmeras vezes.

Ele exortou o demônio a ir embora, mas descobriu que estava incapacitado de se mover ou de falar.

E o súcubo prosseguiu, montando nele mais uma vez, o cabelo esvoaçante, olhos verde-néon ficando maiores e mais apelativos enquanto de sua boca escorria a baba da satisfação.

O mais curioso foi que, apesar de todos os movimentos — e o súcubo apresentou um espetáculo impressionante, cheio de truques —, Jack não teve nenhuma sensação sexual.

Ele permaneceu deitado e apenas observou o desempenho do demônio.

E então tudo terminou.

Em um instante ele fora o peão do próprio Satã e agora estava coberto de uma imundice gelatinosa e grudenta, a mesma sujeira que a bruxa noturna tinha deixado sobre ele quando chegou ao clímax em seu primeiro ataque.

Enojado pelo que acontecera, Jack saiu da cama e entrou no chuveiro onde permaneceu por quase meia hora.

Ele se esfregou até machucar a pele.

Depois, se cobriu de talco e de perfume Aqua Velva. Escovou os dentes. Obsessivamente. Ao ponto de as gengivas começarem a sangrar.

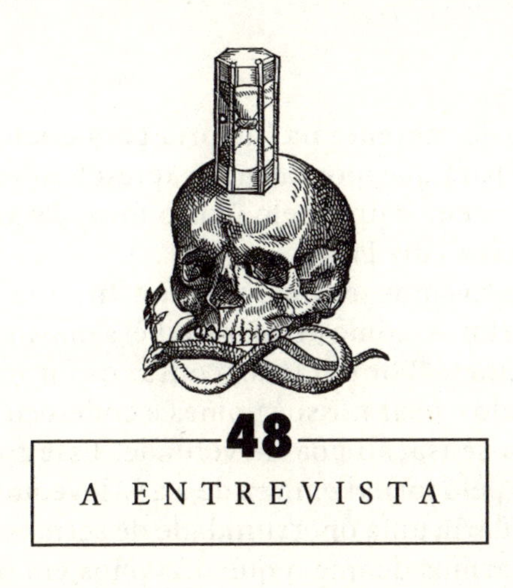

48
A ENTREVISTA

Após o ressurgimento do súcubo, Jack Smurl desceu para a mesa de café de manhã e disse em voz baixa: "Gostaria que você ligasse para aquela repórter Sandy Underwood agora de manhã".

E assim foi combinado. O que eles tinham adiado por tanto tempo. O que parecia ser a única coisa que restava aos Smurl. Ir a público. E se entregarem a mercê do público e da mídia.

"Você sempre ouve falar que a confissão faz bem para a alma e que você alcança uma catarse quando conta a alguém alguma coisa que estivera te incomodando por muito tempo. Mas neste caso — no caso da entrevista, quero dizer — estávamos meio que seguindo a maré", diz Janet.

"Sandy foi muito gentil. Ela nos levou a sério e fez perguntas adicionais interessantes e nos proporcionou bastante tempo para esclarecermos o que contamos", continua.

"Ed e Lorraine corroboraram tudo o que dissemos", lembra Jack. "Eles foram de grande ajuda para nós. De grande ajuda. Tenho que sorrir quando lembro de algumas das expressões no rosto da Sandy. Nós lhe demos bastante material, provavelmente muito mais do que ela pensou que obteria, e Ed e Lorraine lhe deram uma aula básica sobre toda a experiência psíquica."

"Fiquei surpresa com o fato de ela ter sido tão solidária e atenta aos detalhes. Na verdade, ela não estava só atrás de uma história sensacionalista. Ela queria que a verdade fosse dita e estava disposta a nos deixar contá-la do nosso jeito, então foi o que fizemos. Cobrimos a maioria dos pontos principais da infestação desde o princípio."

"Havia um apelo inerente na história para qualquer um que pudesse nos ajudar para que, por favor, se apresentasse e assim o fizesse. Nós também fizemos um apelo muito forte para que a diocese se envolvesse outra vez", diz Jack.

"Suponho que tivemos sentimentos conflitantes quando a entrevista chegou ao fim — como se não soubéssemos muito bem o que sentir", lembra Janet. "Por um lado, contar os fatos da maneira que tinham acontecido e usar nossos nomes e endereço verdadeiros nos deixou com uma sensação boa de verdade. Esse foi um motivo de termos decidido pelo jornal em vez de a TV. Tivemos a impressão de que o jornal nos daria uma oportunidade de sermos mais cautelosos e de nos certificarmos de que o que dizíamos era o que queríamos dizer. Quando você fica diante de uma câmera, é difícil acreditar na pressão que ela exerce sobre você."

"Depois de a entrevista chegar ao fim, nos sentamos com os Warren e conversamos sobre o que poderíamos esperar do público, e parecíamos oscilar entre o otimismo e o pessimismo", diz Jack. "Ed ficava nos lembrando de que o público podia ser volúvel e imprevisível, mas que tínhamos que manter em mente o fato de termos 'confessado tudo', por assim dizer, e que deveríamos nos sentir melhor a esse respeito. E acho que foi assim que nos sentimos, na verdade. Houvera um efeito purificante ao contarmos nossa história."

"O artigo estava agendado para sair no domingo, dia 17 de agosto. Tudo o que podíamos fazer àquela altura era esperar e ver qual seria a reação. Como o Jack disse, tínhamos altos e baixos tentando imaginar como as pessoas reagiriam a nosso respeito", diz Janet.

"Decidimos viajar no fim de semana para Cinnaminson, para visitar minha irmã e o marido dela, Cindy e James Coleman", lembra Jack. "O demônio, para nos lembrar de que nada tinha mudado no que lhe dizia respeito, me acordou no meio da noite com um cheiro de queimado. Verifiquei a casa dos Coleman e não encontrei nenhum incêndio, nem nada do tipo. Por fim, voltei para cama. Houve algumas batidas, apenas o bastante para me incomodar, mas eu afinal peguei no sono. No geral, tivemos um fim de semana muito agradável, minha mãe e meu pai se juntando a nós para seu 49° aniversário de casamento. O cheiro de madeira queimada apareceu mais uma vez, e eu fiz uma busca, lembrando que os Warren tinham dito que se sentíssemos cheiro de algo queimando deveríamos verificar, porque esse cheiro costuma ser criado por demônios e que, embora o cheiro costume ser falso, existe uma pequena possibilidade de que uma vez em um milhão ele possa realmente *ser* um incêndio. Mas não era, então voltamos a desfrutar de nosso fim de semana."

"Quarenta e nove anos de casamento é realmente algo a ser celebrado, e foi o que fizemos. Foi um dos fins de semana mais adoráveis que já tivemos. Nenhum de nós disse muita coisa sobre o artigo do jornal que iria ser publicado. Só decidimos esperar até voltarmos para casa e ver o que tinha acontecido. Descobriríamos muito em breve", afirma Janet.

Na viagem de volta para casa, com as janelas da van abertas, o interior verdejante e ondulante sereno no crepúsculo, Janet disse: "Não seria legal se encontrássemos alguém esperando à nossa porta que fosse nos dizer exatamente o que fazer para nos livrarmos do demônio?".

Jack riu e deu tapinhas no joelho dela. "Você não quer muita coisa, quer?"

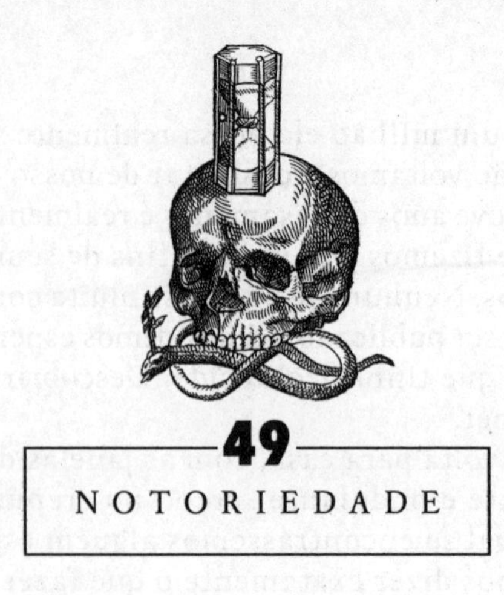

49
NOTORIEDADE

Compreensão, compaixão, uma solução para seu dilema — essas eram as coisas que os Smurl tinham esperado obter com a publicidade.

Na verdade, ela lhes trouxera justamente o oposto.

Na noite de domingo, quando voltaram da comemoração do aniversário de casamento de John e Mary, eles sentiram uma inquietação na vizinhança. Duas das meninas comentaram sobre esse fato. "Alguma coisa está estranha, mãe", disse Dawn enquanto a família tirava as coisas do trailer e as levava para dentro de casa. "Ah, é só sua imaginação, meu bem", disse Janet, sem querer admitir que sentia a mesma ansiedade inexplicável.

Enquanto lavava as mãos, vinte minutos depois, Janet por acaso olhou para fora da janela. De imediato, ela chamou Jack.

Seu marido, sempre atento a problemas, apareceu quase no mesmo instante. "Está tudo bem?", perguntou ele.

"Olhe lá fora."

Jack andou até a janela e abriu as cortinas azuis de chintz com babados.

"O carro", informou Janet.

"O Dodge preto?"

"É."

"O que tem ele?"

"Está parado aí faz dez minutos."

"Por que será?"

"Tem três deles.

"Três de quê?"

"Garotos adolescentes. Dois no banco da frente e um no de trás. E eles se revezam apontando para nossa casa."

Uma percepção desagradável ocorreu a Jack. "O artigo desta manhã."

"Exato."

"Meu Deus."

"Nossa casa", disse Janet, "vai se transformar em uma atração turística."

A previsão de Janet se tornou realidade.

No decorrer da semana seguinte, a família Smurl registrou mais de duzentas ligações de jornalistas de todas as estirpes — jornais, canais de televisão tanto locais quanto nacionais, estações de rádio tanto locais quanto nacionais, agências de notícias e tabloides de supermercados.

E os três garotos adolescentes sentados em um Dodge preto apontando para a casa acabou por ser apenas o começo. Dia e noite, carros cheios de pessoas pasmas que ficavam apontando passavam se arrastando diante da casa geminada. Alguns dos rostos refletiam a gravidade da situação dos Smurl; outros abriam sorrisos maliciosos ou zombavam.

A rua em si estava começando a lembrar o estacionamento de um grande evento público, um evento a ser realizado dentro da casa geminada dos Smurl.

Quando a sexta-feira chegou, aqueles que apenas passavam de carro e apontavam tinham sido substituídos por uma espécie mais descarada de curiosos — essas pessoas levavam cerveja, refrigerante e sanduíches, e acampavam na calçada ou nos gramados frontais dos vizinhos. Alguns chegaram até a escalar uma árvore diante da casa e tentaram pular para cima da varanda a fim de dar uma olhada no interior da casa através das janelas do segundo andar.

Um policial contou a um repórter local: "Isto é como uma mistura de um show de rock com um evento religioso. Algumas pessoas estão aqui puramente por brincadeira, mas também existem algumas pessoas aqui que estão gritando e desmaiando e alegando que viram todos os tipos de coisas dentro da casa dos Smurl. Existem algumas pessoas bastante assustadas aqui, e é por isso que sinto pena dos Smurl. Esse é o tipo de multidão que, com o incentivo certo, logo pode se tornar bem violenta".

Vinte e quatro horas por dia os espectadores continuavam a passar na frente da casa geminada. Eles vinham em brilhantes Buicks novinhos em folha e velhos Plymouths enferrujados, em pequenas picapes esportivas da Toyota e em motocicletas Harley-Davidson pretas enceradas. Alguns apontavam, outros abriam sorrisos maliciosos, alguns se benziam. Eram jovens e velhos, brancos e negros, ricos e pobres. Alguns davam a volta no quarteirão muitas vezes, e alguns encontravam um lugar onde sentar ou permanecer em pé no calor abafado enquanto observavam a casa.

West Pittston nunca vira nada como aquilo. Como um representante da cidade contou a um repórter de uma rede de televisão: "Este é o maior evento particular da história de West Pittston. Até a quinta-feira desta semana mais de seiscentos carros passaram diante da residência dos Smurl todos os dias. Mas isso foi apenas o começo. Carros e trailers de praticamente todos os estados da união foram estacionados por toda West Pittston, e seus donos caminharam até a casa dos Smurl. Houve até brigas entre os curiosos para ver quem chegava mais perto da casa. A coisa toda virou um circo, tanto que na noite de quinta-feira pedimos que a polícia barricasse a rua toda. As coisas ficaram bem feias."

Dentre os milhares que tinham se aglomerado diante da casa geminada em West Pittston havia adolescentes que jogavam garrafas de cerveja contra a casa e gritavam palavrões; uma gangue de motociclistas com símbolos do ocultismo nas jaquetas e olhos ameaçadores; e alguns universitários que achavam engraçado caminhar diante da casa com enormes rádios portáteis tocando "Ghostbusters".

Mas essa não era a única atenção que a família estava atraindo.

Àquela altura, Janet e Jack Smurl tinham se tornado celebridades instantâneas.

Por todo os Estados Unidos, os principais jornais diários publicavam sua história e suas fotos. Desde o *New York Post* aos noticiários televisivos nacionais, os Smurl tinham se tornado manchete.

Dentre os repórteres que foram convidados a visitar a casa dos Smurl, dois relataram suas próprias experiências sobrenaturais enquanto estiveram na casa, o que apenas aumentou o impacto de suas histórias. Um deles reclamou de penetrantes temperaturas congelantes e outro de um "odor nauseabundo e fétido". Não demorou muito para os repórteres compreenderem que o que estava acontecendo ali era sério e real.

Ao final da semana, ainda mais repórteres tinham se juntado à rixa e estavam produzindo "matérias Smurl".

Como Janet viria a comentar mais tarde: "Na verdade, pagamos dois preços — a assombração em si e a perda de nossa privacidade.

Não consigo descrever como foi aquela primeira semana; nós literalmente nos tornamos prisioneiros dentro de nossa própria casa. E alguns repórteres foram muito invasivos, questionando não apenas nossos motivos, mas também nossa sanidade. Isso apenas aumentou o estresse. Felizmente, conhecemos algumas pessoas boas, dentre elas uma mulher chamada Megan Cosgrove".

ED WARREN

Ao longo dos anos, Lorraine e eu tínhamos visto eventos sobrenaturais se tornarem eventos midiáticos, mais notavelmente o caso em Brookfield, Connecticut, que resultou em um julgamento por assassinato, mas não tínhamos visto nenhum que atraísse aquele nível de frenesi.

Janet e Jack conheceram os dois tipos de repórteres, os bons e os maus. Os primeiros eram solidários, metódicos, tolerantes. Os últimos queriam a história mais sensacionalista que pudessem obter, mesmo que isso apresentasse os Smurl sob uma perspectiva ruim.

Do mesmo modo que os repórteres mais cínicos, as multidões também deprimiam Janet e Jack. Havia um aspecto desagradável em tudo aquilo — o sol que castigava, uma percepção de loucura nos olhos dos espectadores quentes e suados — e até mesmo desdém nas vozes de alguns, como se estivessem exigindo que os Smurl *provassem* que forças satânicas estavam de fato agindo ali.

Lorraine e eu até chegamos a trocar algumas palavras com alguns dos espectadores. Cometemos o erro de simplesmente pedir para alguns dos mais insistentes que se retirassem do gramado e deixassem a família ter privacidade. Alguns deles — encharcados de suor, fedendo à cerveja — desafiaram nosso direito de fazer aquele pedido. Foi nesse momento que vi como o demônio estava transformando tudo aquilo em mais uma forma de punição para os Smurl. Olhar pela janela e encontrar um estranho espiando você é uma experiência irritante, e algo que os Smurl sofreriam durante meses.

Felizmente, dentre o enorme público midiático havia uma mulher de 38 anos chamada Megan Cosgrove, que por coincidência trabalhava na mesma fábrica que Jack. Foi ela quem contatou os Smurl e lhes contou a respeito de uma mulher extraordinária que se comunicava com frequência com o mundo sobrenatural por meio de um espírito que ela podia contatar sempre que quisesse.

O nome dessa mulher era Betty Anne Moore, e ela foi até a casa dos Smurl em uma quinta-feira, dia 21 de agosto. O desfecho foi surpreendente e forneceu uma pista importante para nossa investigação em andamento.

"Megan foi muito impressionante, afetuosa mas profissional. Pouco depois de ela se sentar no sofá, nós a vimos dar um pulo. Eu lhe perguntei qual era o problema, e Megan disse que alguma coisa pontiaguda mas invisível a tinha atingido no olho, como um polegar humano. Então, enquanto secava as lágrimas do olho, ela levantou a cabeça de repente e apontou para alguma coisa na escada. Perguntamos a ela o que era, e ela então passou a descrever perfeitamente a forma escura que vinha nos assombrando há quase dois anos", diz Janet.

"O olho dela continuou inchando", continua. "Por fim, ela teve que ir para casa e colocar um saco de gelo sobre ele. Ela voltou mais tarde naquela noite com Betty Anne Moore, que tinha uma aura muito séria ao seu redor. Podíamos ver que ela estava muito ciente do que estava acontecendo aqui e também estava bastante preocupada. Ela pediu para ser guiada por todos os cômodos da casa e depois até o porão, que foi onde ela entrou em contato com um espírito chamado Abigail.

"Betty Anne ficou em estado de transe, os olhos fechados e os dedos tremendo. Ela disse: 'Abigail é idosa e está senil ou confusa, mas não é perigosa'. Então Betty Anne passou a descrever Abigail com exatamente os mesmos termos que Lorraine a tinha descrito meses antes.

"Vinte minutos depois, quando Betty Anne pediu para ser levada ao quarto do meio no segundo andar, nós vimos exatamente que a sua percepção da assombração era idêntica à de Lorraine, porque Betty Anne então começou a descrever outro espírito que estava vendo, um homem de bigode chamado Patrick, quem ela disse ter morrido aqui, mas tinha medo de voltar para o outro lado.

"Betty Anne, perdida em outro transe, passou a nos contar algumas coisas sobre o passado de Patrick. Ele foi um homem que batia com frequência na esposa, Elizabeth, em algum lugar perto da propriedade dos Smurl antes de a casa ser construída. Isso foi em algum momento do século XIX.

"Sempre que Elizabeth sentia medo de Patrick, ela se envolvia com outro homem. Certo dia, Patrick chegou em casa em uma hora inesperada e encontrou Elizabeth nos braços do amante. Ele matou os dois, estrangulando Elizabeth e espancando o homem até a morte com os próprios punhos. Betty Anne então descreveu como Patrick tinha sido espancado por uma multidão e depois enforcado pelos assassinatos. E depois ela se virou para mim e disse algo que não esperávamos.

"'Janet, você se parece com Elizabeth. Patrick acha que Jack é o seu amante e quer ver você e Jack separados.'

"Enquanto ela nos contava isso, um vaso começou a balançar e depois batidas fortes foram ouvidas na parede.

"Betty Anne, com uma voz estranha e profunda, começou a implorar para Patrick 'ir para o outro lado', mas ela nos contou que ele tinha medo de ser punido se atravessasse para o outro plano.

"Quando Betty Anne saiu do transe, ela disse, direta: 'Patrick não quer deixar esta casa. Será muito difícil se livrar dele'.

"Então Betty Anne parou, parecendo muito perturbada, e disse: 'Mas essa não é a pior notícia. Tem mais, sinto dizer'. Ela balançou a cabeça, quase como se estivesse com medo de dar voz aos pensamentos. 'Existe um terceiro espírito preso à terra aqui — pode ser um homem ou uma mulher, não sei ao certo —, mas o que quer que seja, é violento e brutal e tem a intenção de ferir vocês.' Ela em seguida explicou que esse espírito era insano e se estivesse vivo hoje seria internado em um hospital psiquiátrico. 'Esse é o espírito malevolente que controla Patrick e continua incitando-o à violência. Esse é o espírito que quer que o demônio cometa a derradeira atrocidade — possuir um de vocês ou os dois.' Os olhos dela fitavam o ponto central do quarto e sua voz ficou ainda mais rouca. 'Então existe o demônio em si, um discípulo direto do Diabo. Eu o sinto por toda a casa. Em todos os lugares.'"

O olhar que Janet e Jack trocaram foi de partir o coração, porque mais uma vez a possibilidade mais preocupante tinha sido mencionada: a possibilidade da possessão, de um demônio literalmente assumir o controle de uma pessoa viva. Seria um deles? Uma de suas filhas?

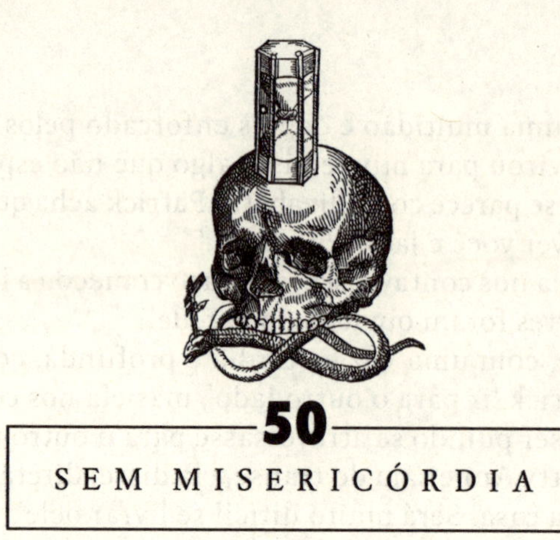

50
SEM MISERICÓRDIA

Nas duas semanas seguintes, a família Smurl viu o melhor e o pior da espécie humana.

Muitas pessoas visitaram a casa e lhes ofereceram rosários e outros itens religiosos. De todo o mundo chegaram cartões e cartas desejando-lhes o melhor e incluindo preces especiais e sugestões sobre como lidar com a assombração. Clérigos de todas as denominações entraram em contato com eles e lhes ofereceram orações — todos, exceto (por enquanto, pelo menos) um representante da diocese.

"O mais reconfortante a respeito das correspondências foi que recebemos relatos de muitas pessoas que tiveram experiências parecidas com a nossa", diz Jack. "Pessoas de todos os lugares — Brasil, Porto Rico, Holanda e muitos outros países europeus. Isso fez com que nos sentíssemos um pouco menos isolados."

"Não houve descanso para nós", comenta Janet. "Durante a época em que a imprensa cercava nossa casa, a assombração continuou, geralmente na forma de batidas ou de breves aparições da forma escura, enquanto que sobre nossa mesa da cozinha os telegramas e mensagens formavam uma pilha. Nós os colocamos em sacolas de supermercado e em caixas, e as empilhamos no armário da cozinha; continuávamos ficando sem espaço. Felizmente, visto que a maioria das mensagens continham informações e votos de melhoras e medalhas religiosas, elas eram encorajadoras em vez de desanimadoras."

Mas com certeza *havia* coisas que os deixavam desanimados.

Mesmo no dia 22 de agosto, sexta-feira, quando West Pittston registrou uma quantidade significativa de chuva, as multidões permaneceram impiedosas, aproximando-se mais e mais, tentando olhar o interior da casa ou tocar os membros da família quando estes tentavam sair da casa.

"Algumas pessoas estavam convencidas de que éramos santos, e outras estavam convencidas de que éramos mensageiros de Satã", lembra Jack. "A situação com essas últimas ficou bem ruim quando recebemos uma mensagem de um conciliábulo de bruxas que queria vir até aqui para nos conhecer. Isso era exatamente o que precisávamos naquela hora — bruxas!"

As pessoas na rua começaram a demonstrar um comportamento ainda mais bizarro.

"Dois incidentes nos perturbaram bastante", lembra Janet. "Certa manhã, um homem segurando uma espingarda passou de carro bem devagar diante da nossa casa. Por coincidência, estávamos olhando pela janela nessa hora e nos abaixamos, com medo do que ele poderia fazer. Outro homem chegou bem perto da porta da frente com um facão enorme na mão. Para nossa sorte, muitas pessoas na multidão gritaram com ele, e ele saiu correndo.

"Mas de todas as coisas que aconteceram durante o período das multidões, o mais deprimente provavelmente foi a ligação de uma mulher que eu tinha considerado uma colega, se não uma amiga de verdade. Nossas filhas estudavam juntas — as aulas iriam começar em algumas semanas —, mas ela me ligou certa noite e disse que não queria que a filha dela fosse mais amiga das minhas. Isso me magoou bastante."

A quantidade de repórteres e de suas exigências tinha se tornado tão esmagadora que no dia 23 de agosto, às 14h em ponto, Janet e Jack se postaram na varanda dos fundos e leram uma declaração que tinham preparado para a multidão.

"Como repórteres, vocês podem ver que esta situação fugiu completamente ao controle. Ninguém está nos ajudando com nossos problemas, não conseguimos mais dar conta de todas as ligações e cartas, e não sabemos como lidar com essa situação. Por favor, rezem por nós na igreja."

Ao menos temporariamente, os repórteres se afastaram da casa e deram aos Smurl um pouco de privacidade. Mas essa privacidade não duraria muito.

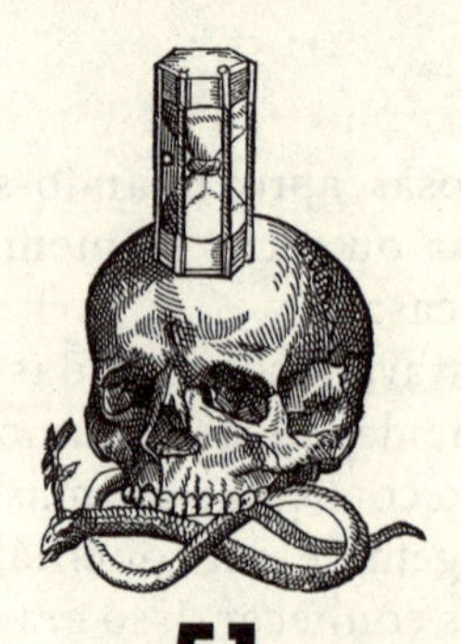

51
A ASSOMBRAÇÃO SE ESPALHA

A ligação veio ao cair da noite. Quem ligou foi uma vizinha. Ela não estava brava, mas estava com medo, muito medo.

"Janet, isso está afetando todos nós", contou ela.

"Eu sei", disse Janet, com medo do que sua amiga iria dizer em seguida.

"Seis casas separadas, incluindo a minha."

"Coisas sobrenaturais, você quer dizer?"

"Batidas. Maus cheiros. Gritos."

"Sinto muito", desculpou-se Janet, sentindo a última gota de energia e esperança se esvair.

Agora o demônio estava usando seus amigos e vizinhos para deixar a assombração ainda mais terrível.

A mulher disse: "Não liguei para fazer você se sentir mal, Janet. Só estava me perguntando se você tem algum conselho para nós".

Janet abriu um sorriso amargo para si mesma. "Se eu tivesse algum conselho para dar, eu mesma o teria seguido há muito tempo."

A mulher deu uma risada triste. "Acho que você tem razão, não é?"

"Vou rezar por você", prometeu Janet.

Naquela noite, enquanto assistiam TV, os Smurl viram algo que os surpreendeu. O âncora da WNEP anunciou que a emissora tinha realizado uma pesquisa para descobrir quantos telespectadores acreditavam na história dos Smurl e quantos telespectadores desacreditavam.

Os resultados foram surpreendentes: 75% acreditava nos Smurl e apenas 25% duvidava.

"Suponho que tenha sido bobo nos sentirmos bem com aquilo, mas depois de tudo o que tinha acontecido, foi legal saber que a maioria das pessoas da comunidade nos via como pessoas sãs e honestas. Foi reconfortante saber disso", fala Janet.

No meio da noite, Jack Smurl se levantou para ir ao banheiro. Antes de voltar para cama, ele se olhou no espelho. O que viu fez com que recuasse de supetão como se tivesse levado um tiro.

O rosto no espelho não pertencia a ele, mas a um homem decomposto cuja pele pendia em tiras e cujos olhos queimavam com o pesar dos recém-mortos.

Então a imagem sumiu e seu próprio rosto voltou.

Pelo restante da noite, Jack ficou deitado pensando em uma palavra repetidas vezes: *possessão.*

Será que aquela seria sua aparência caso o demônio fosse bem-sucedido em completar o quarto estágio da assombração — a possessão?

Ele pensou no que Betty Anne tinha descrito para ele. Ele pensou no que Ed e Lorraine tinham dito sobre qual era o objetivo derradeiro do demônio.

Então pensou no fantasma que tinha visto no espelho — os olhos bravios e cintilantes, a pele apodrecida, a mão retorcida e esquelética.

Será que aquilo tinha sido uma premonição do que ele próprio estava prestes a se tornar? O amanhecer demorou muito a chegar.

LORRAINE WARREN

Afinal, Ed e eu ficamos felizes em ver que pelo menos um dos objetivos de os Smurl terem ido a público tinha sido conquistado — eles receberam notícias da cúria diocesana, embora infelizmente não as notícias pelas quais eles tinham esperado.

Janet nos contou: "O padre Doyle, da cúria diocesana, não ficou contente por termos compartilhado nossa história com a imprensa. Ele disse que deveríamos ter entrado em contado com a igreja primeiro — como se não tivéssemos feito isso. Nós simplesmente lhe dissemos que, devido a todas as coisas que estavam acontecendo, não podíamos esperar mais, que nossas vidas agora estavam por um fio.

"A cúria diocesana não ficou contente por estar recebendo tantas ligações de repórteres fazendo perguntas sobre nosso caso.

"Enfim, alguns dias depois da ligação do padre Doyle, um padre foi até nós e conversou conosco. Nós lhe contamos sobre os exorcismos anteriores e como a diocese tinha se recusado a ajudar. Também expressamos nosso ressentimento por um artigo de um jornal do dia anterior ter passado a impressão de que nunca tentamos entrar em contado com a cúria diocesana de Scranton até pouco tempo atrás. Ele foi muito educado, mas tomou cuidado para não expressar nem crença nem descrença no que lhe contamos. Ao final da entrevista ele foi muito cordial e disse que voltaria a entrar em contato.

"Não recebemos notícias da diocese de Scranton durante muitos dias, embora nesse meio-tempo um padre de outra diocese tenha se oferecido para realizar um exorcismo. Depois ele ligou outra vez e disse que a cúria de Scranton, que tinha ficado sabendo de sua oferta, ligou para ele e lhe disse que sua entrada na diocese de Scranton seria quebra de protocolo. Maravilhoso!"

Àquela altura, Ed e eu tínhamos começado a traçar a mudança — sutil mas clara — da ferocidade que os ataques sobrenaturais exibiam. Também notamos o comportamento um tanto diferente de Jack — pele pálida, olhares ansiosos — e o que parecia ser uma depressão clínica. Isso nos deixou bastante preocupados. Discutimos isso com Tammy Anderson, membro de nossa equipe que também é detetive do departamento de polícia de Bridgeport, Connecticut, e ela foi fazer uma visita aos Smurl. Ela confirmou nossos temores a respeito das condições de Jack. Embora não tivéssemos usado a palavra com Tammy, o que estava nos preocupando era que o demônio, que poderia muito bem estar sentindo ciúme de Jack, vendo-o como rival pelo amor de Janet, poderia de fato estar no processo de tentar possuí-lo.

Não havia dúvida de que medidas drásticas tinham que ser tomadas, e depressa.

Passamos dois longos dias discutindo ideias com os membros da nossa equipe. O resultado foi um plano para um exorcismo em massa que envolveria diversos padres. Para contar nosso plano aos Smurl, o doutor Walter Hummel, um ex-médico legista que agora tem um consultório particular, e sua esposa, Sarah, de Greenwich, Connecticut, foram até a casa geminada dos Smurl.

O doutor Hummel, que é nosso amigo há mais de vinte anos e que já trabalhou conosco em muitos casos, nos relatou que ficou bastante comovido pela entrevista com Janet e Jack, e o que deixava a situação tão surpreendente para ele era que a assombração não se limitava (como costumava acontecer) a algumas pessoas, mas se estendia a dezenas de pessoas que estavam, de diversas maneiras, ligadas aos Smurl.

Enquanto conversávamos com o médico e sua esposa, o telefone tocou. Ed o atendeu em outro cômodo. Quando voltou, ele parecia preocupado. Ele disse: "Fui informado que a diocese de Scranton não vai nos ajudar com o exorcismo em massa".

Ele não precisava dizer mais nada.

Naquele momento, aquela era a pior notícia que os Smurl poderiam ter recebido.

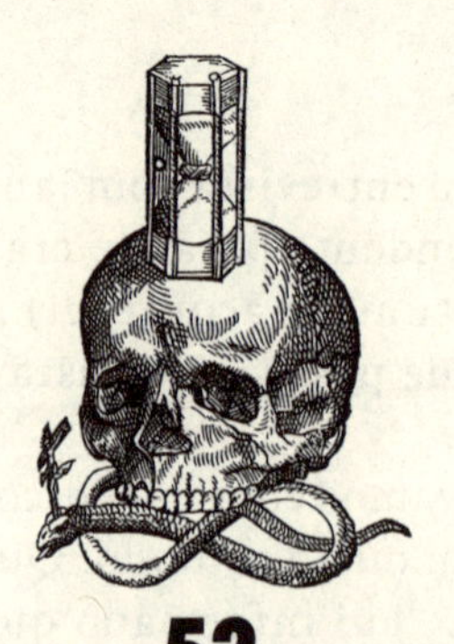

52
A RECUSA DA DIOCESE

Fiel à promessa do padre, a diocese de Scranton enfim telefonou para os Smurl. De fato, a cúria pediu que Janet e Jack se encontrassem com o padre Doyle em seu escritório na tarde seguinte.

Os Smurl tinham grandes esperanças de que o padre Doyle teria boas notícias para eles, encorajados como estavam pelo fato de que, à medida que o outono começava a tocar as árvores e a rarear o sol de verão, as multidões acampadas do lado de fora da casa tinham diminuído ligeiramente.

Não que a imprensa em si tivesse perdido o interesse na história dos Smurl. "Ainda aparecíamos nos noticiários muitas vezes por semana e perdemos as contas de quantas centenas de novas histórias a nosso respeito tinham sido enviadas aos jornais", diz Janet. "Mas, felizmente, um pouco da natureza bizarra da investigação tinha acalmado um pouco. Com o telefonema da diocese, tivemos novas esperanças de que algumas medidas sérias enfim seriam tomadas e que talvez nosso problema seria resolvido de uma vez por todas."

Vinte e quatro horas depois, Janet e Jack estavam sentados no escritório do padre Doyle explicando o plano de um exorcismo em massa que os Warren tinham sugerido. Os Smurl estavam ansiosos para que a diocese conversasse com os Warren.

O chanceler, também presente na reunião, surpreendeu o casal quando disse que não havia nenhum motivo que fosse para conversar com os Warren, visto que daquele momento em diante a própria diocese estaria assumindo o controle da investigação.

"Mas Ed e Lorraine foram de uma tremenda ajuda para nós", disse Janet. "Não conhecemos ninguém que conheça o sobrenatural melhor do que os Warren."

Mas o chanceler balançou a cabeça. A diocese iria assumir o controle da investigação. No que dizia respeito à igreja oficial, os Warren não estavam mais envolvidos.

ED WARREN

Lorraine e eu não ficamos surpresos pela resposta da igreja. Como todas as instituições, o catolicismo tem suas próprias prioridades e, é claro, neste caso, o chanceler achou que a coisa mais importante a fazer era abafar a publicidade negativa sobre como a cúria diocesana tinha tratado os Smurl no passado.

Nossa única reserva era que sabíamos como a igreja trabalhava em casos assim, o objetivo sendo encontrar uma "explicação científica" para as assombrações sempre que possível, às vezes excluindo a verdadeira explicação.

Quanto aos Smurl, nada ficou mais fácil para eles.

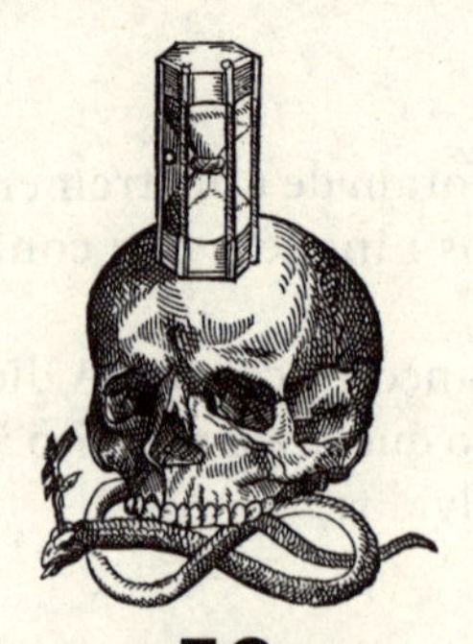

53
ENTREVISTA COM ERIN TURNER

P: Você é uma grande amiga dos Smurl?
R: Sou, sim. Eles são pessoas maravilhosas.

P: Poderia nos contar como se envolveu com a assombração?
R: [*Pausa.*] Eu... Foi porque eu liguei para Janet em um fim de semana.

P: Você poderia explicar?
R: Bem, eles tinham ido acampar, o que eu não sabia, então fiquei ligando para saber se ela queria se encontrar e sair para fazer compras.

P: Você poderia se aprofundar no que aconteceu depois?
R: [*Pausa.*] Uma garotinha atendeu.

P: Uma garotinha?
R: Sim. Ela soava como se tivesse uns 7 ou 8 anos. E então ela ria.

P: Ria?
R: Essa foi a parte mais esquisita. A risada dela. Ela dizia: "Eles não moram mais aqui". E depois ela desligava. Eu liguei umas seis ou sete vezes naquele fim de semana. Eu apenas não conseguia acreditar no que estava ouvindo. Mas a garotinha sempre atendia. Até cheguei a ligar para a telefonista a fim de verificar o número, mas ela disse que era para a casa dos Smurl que eu estava ligando.

P: E você contou para a Janet?

R: Claro. De imediato. Ela ficou tão assustada quanto eu. Com tudo que a família dela estava passando, eles não precisavam de outro problema como aquele.

"Apesar dos esforços da igreja em seguir com os próprios planos, Janet e eu sentíamos que era importante seguirmos com os nossos — a saber, um encontro de orações organizado por nossos amigos, e por cinquenta mulheres e vinte homens da Associação Sagrado Coração da St. Mary's Annunciation em Kingston, que fica perto de West Pittston."

Quando essas pessoas, e outros amigos da família, encheram a casa dos Smurl, a atmosfera era solene. Os dias de circo de imprensa e publicidade tinham ficado para trás, e agora os Smurl se encontravam em uma nova era — tentando impedir que o demônio tomasse posse.

A casa foi transformada. Velas de vigília foram dispostas a cada poucos centímetros e depois acesas, banhando toda a casa em um brilho indistinto conforme as vozes dos fiéis se erguiam em oração comunal como aquela que os primeiros cristãos rezavam nas catacumbas. Em alguns olhos era possível ver lágrimas; em alguns lábios, sorrisos, porque tinha-se a impressão de que o Diabo estava sendo expulso. (Mais tarde, em uma reunião, duas pessoas até relataram terem visto a imagem da Virgem Maria de alguma forma sendo projetada em uma das paredes, uma impressão fraca mas perfeita da Santa Mãe trazendo sua própria força especial para ajudar a expulsar o demônio.)

"Foi um espetáculo muito comovente — todas essas pessoas preocupadas e bondosas fazendo tudo o que podiam para nos ajudar. Dava para sentir o amor, dava mesmo. Meus olhos ficaram marejados a maior parte do tempo. E a casa ficou tão bonita com as luzes da vigília cobrindo tudo com cores diferentes."

Os fiéis ficaram até bem tarde. Mas depois de muitas horas de calmaria e quietude, a TV no quarto dos Smurl começou a balançar de um lado para outro, e as pancadas nas paredes se tornaram tão violentas que Janet teve que cobrir as orelhas. Chorando, ela exclamou: "Será que eles algum dia vão nos deixar em paz? Algum dia?".

ED WARREN

Janet e Jack continuaram a nos telefonar com frequência enquanto esperávamos para ver o que a igreja iria fazer. Eles também continuaram a receber mensagens de pessoas religiosas de todas as partes do mundo, algumas pessoas responsáveis e carinhosas, outras, estridentes e ameaçadoras. Por fim, eles chegaram a receber notícias da diocese de Scranton, que concordou em enviar um padre em pessoa, o monsenhor Joseph Browne. Seria a tarefa do monsenhor passar a noite na residência dos Smurl e ver se conseguia encontrar alguma evidência definitiva de uma assombração verdadeira.

Apesar de não termos dito nada a Janet e Jack quando eles, animados, nos deram essa notícia, nós sabíamos que era provável que o demônio fosse escolher não se expor, deste modo fazendo com que os Smurl parecessem fraudes ou histéricos aos olhos do padre.

E foi o que aconteceu.

Padres diocesanos foram à casa dos Smurl algumas vezes, alguns para passar a noite enquanto a família dormia, mas nenhum deles ouviu ou viu alguma coisa que confirmasse que uma assombração genuína estava acontecendo ali.

"Essa foi a ironia", diz Jack. "Tínhamos nos esforçado por tanto tempo para fazer a igreja se envolver, mas nunca tínhamos pensado que as coisas acabariam dessa maneira. Tínhamos feito todas essas alegações, e a igreja não conseguiu encontrar nada para confirmá-las."

As coisas estavam indo tão mal que Jack tinha perdido 10 kg desde que a família fora a público. Janet não tinha apenas perdido peso — 6 kg —, ela também desenvolvera uma úlcera.

Certo dia, enquanto conversávamos com Janet e Jack na sala de estar deles, eu comecei a sentir a presença do demônio em pessoa. Mais uma vez, de uma forma que não consigo articular, senti que ele tinha ficado mais audacioso e mais forte, e estava prestes a atacar.

Lorraine viu como eu estava transtornado, e assim que chegamos na van, ela comentou. "Você está com uma aparência horrível."

"Assim que chegarmos em casa vou ligar para o padre McKenna."

Voltamos depressa para casa e telefonamos para o padre.

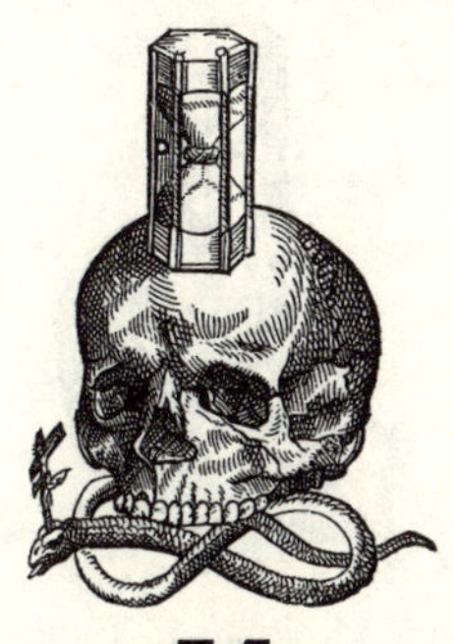

54
UM GRAVE INCIDENTE

Como se para lembrar os Smurl de que seus inimigos não eram apenas do tipo sobrenatural, certa noite eles estavam sentados assistindo TV quando Jack ouviu um carro diminuir a velocidade na frente da casa geminada.

Àquela altura, claro, ele tinha se acostumado com as pessoas passando diante da casa em carros em baixa velocidade. Muito embora a atenção do público tivesse diminuído, ainda havia um fluxo contínuo de curiosos.

"O que foi, querido?", perguntou Janet.

"Alguém estacionou lá fora."

"Hora do circo de novo", disse Janet.

Mas seu sarcasmo moderado foi interrompido de repente quando uma garrafa de cerveja atravessou a janela da frente.

"Todas as meninas estavam chorando e encolhidas em um canto", lembra Jack. "Era como se houvesse dois cercos acontecendo — o do demônio e o de algumas pessoas doentes que nos odiavam por algum motivo inexplicável. Dei uma olhada nas pessoas. Eram adolescentes, e eu liguei para a polícia. Mas o incidente deixou uma marca na família — nos assustou e nos deixou muito zangados outra vez —, e então tivemos que confiar mais do que nunca no plano de Ed e Lorraine de tentar colocar um fim à infestação. Não posso dizer que tínhamos muita esperança àquela altura, mas esperança era praticamente tudo que tínhamos."

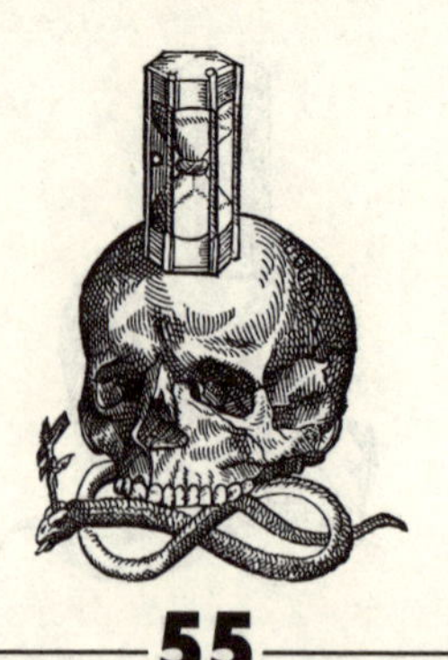

55
O ÚLTIMO EXORCISMO

Uma semana depois, nem mesmo o padre McKenna conseguiu incitar muitos sorrisos no dia em que dirigiu de volta à residência dos Smurl e realizou o terceiro exorcismo.

Mais cedo naquela manhã, pouco antes da viagem de carro, o padre McKenna rezara uma missa especial para os Smurl e então, isso tendo sido feito, o exorcismo consistiu em entoar orações especiais em ambos os lados da casa geminada e depois ir de cômodo em cômodo com água benta. Dessa vez, o padre até abençoou o quintal dos fundos.

"O rosto do padre McKenna estava tão bonito", lembra Janet. "Dava para ver a concentração nele. Ele estava efetivamente colocando sua alma em risco para aquilo dar certo."

Não houve nenhuma interrupção durante o exorcismo. Tão fervorosas foram as orações do padre McKenna que o demônio parecia sentir medo de se revelar.

Após terminar, o padre mais uma vez seguiu para seu carro, recusando o jantar que os Smurl lhe ofereceram. Jejuar era uma parte integral do ritual de exorcismo, o padre os lembrou.

O que se seguiu foi uma peregrinação quase diária à residência dos Smurl, dessa vez por amigos e parentes da família Smurl, incluindo os homens da Associação do Sagrado Coração. Preces e velas de vigília preenchiam o ar. Foi ideia de Ed e Lorraine "afogar" o demônio em preces após o exorcismo.

E começou a dar certo.

"Dava para sentir alguma coisa, do jeito que o ar muda depois de uma tempestade passar", afirma Jack. "A princípio, estávamos quase com medo de ter esperanças de que as orações e a vigília fossem nos ajudar de um modo duradouro, mas, no geral, os dias que se seguiram ao exorcismo foram ótimos. Não nos sentíamos tão relaxados há mais de dois anos."

A melhor parte foi que, temporariamente, não haveria surpresas — pelo menos, não surpresas ruins. Na verdade, a única surpresa que os Smurl tiveram no fim de setembro foi uma muito agradável.

ED WARREN

Janet nos ligou alguns minutos depois de acordar. "Vocês não vão acreditar!", disse ela para mim e Lorraine. "Toda a casa está cheia do aroma de rosas de novo."

Até eu tive que considerar aquilo um bom sinal, e digo "até eu" porque a experiência me mostrou que é sensato ser cético quando se trata de assombrações. Sob muitas circunstâncias, são necessários muitos esforços (planejados ou inadvertidos) para incitar o demônio, e depois é quase impossível se livrar dele.

Ainda assim, tive que admitir que a santidade extraordinária do padre McKenna e as orações diárias sendo realizadas na casa dos Smurl estavam aparentemente reprimindo as forças das trevas.

E as coisas apenas melhoraram.

"Nós mal podíamos acreditar. Duas, depois três, então quatro semanas se passaram sem um único incidente", lembra Janet. "A cada poucos dias o cheiro de rosas retornava a um ou dois cômodos, e nossa casa se enchia do som de oração. Foi maravilhoso, e dava para ver a fascinação nos rostos das nossas filhas. Elas começaram a ter amigos de novo e planejar festas, e dava para ouvir seus risos por toda a casa."

A imprensa, é claro, ainda estava interessada no que estava acontecendo na casa dos Smurl e pediu um relato. Em uma declaração conjunta no dia 28 de outubro, Janet e Jack Smurl anunciaram: "Há muitas semanas tudo tem estado calmo em nossa casa e tudo indica que nosso problema foi resolvido".

Um porta-voz da diocese disse que depois de uma intensa investigação, a diocese não chegara à nenhuma conclusão e não assumira nenhuma posição no caso, mas que, visto que os Smurl disseram que a questão tinha sido resolvida, a diocese estava encerrando o inquérito.

Um novembro cinzento chegou, mas para os Smurl a sensação era de uma das mais lindas primaveras, porque não havia batidas nas paredes. No ar não havia o odor asqueroso de um abatedouro. Nos rostos de suas filhas havia os sorrisos normais da juventude.

"Não paramos de rezar, claro", afirma Jack. "Muito pelo contrário, nos tornamos ainda mais religiosos. Não queríamos que nossa recém-encontrada liberdade fosse destruída de novo."

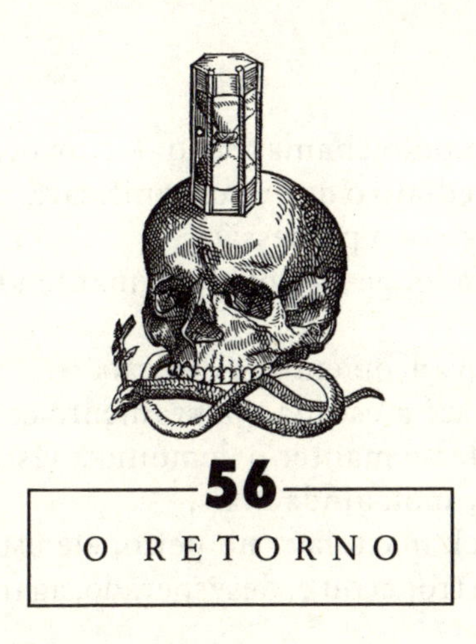

56
O RETORNO

Depois do Dia de Ação de Graças, a família Smurl começou a planejar o Natal. Eles já tinham recebido o melhor presente de todos, paz de espírito, mas agora queriam planejar um feriado que lhes proporcionaria uma oportunidade de agradecer a Deus e também de comemorar sua unidade como família.

Foram bons tempos para eles. Janet e Jack começaram a recuperar um pouco do peso perdido e ambos se acostumaram a passar ainda mais tempo com as meninas e com as atividades escolares delas.

Não, não se podia pedir por tempos melhores do que esses.

Jack desfrutava de um descanso em sua poltrona favorita. Às vezes, assistindo TV, ele pegava no sono, principalmente depois de um duro dia de trabalho.

Nesta noite, ele fizera exatamente isso, dormira por talvez meia hora. Agora estava acordado de novo. Estava passando o programa de Johnny Carson, o monólogo especialmente engraçado nesta noite. Jack decidiu que assistir a Carson seria uma boa maneira de relaxar por completo antes de subir para dormir.

Com as festas a pouco menos de duas semanas, a sala de estar estava iluminada pelas luzes da árvore de Natal, bonitas, suaves, verdes e amarelas e vermelhas. O ar estava perfumado pelo aroma fresco do próprio pinheiro.

Então ele desligou a TV e começou a rezar. Enquanto orava, ele relanceou o olhar para o espelho acima do sofá e a viu — a forma escura encapuzada cuja presença tinha anunciado o início da assombração. Só que dessa vez havia uma diferença.

Jack sentiu o demônio chamando-o — convocando-o, na verdade — e ele soube de imediato o que isso significava: o temido último estágio da assombração — a possessão.

Ele disparou para longe da poltrona, mantendo o rosário apertado na mão.

A figura escura avançou em sua direção.

Jack cambaleou até a escada e lentamente começou a subi-la de costas para que pudesse manter o demônio à vista.

A figura se aproximou ainda mais.

O coração de Jack martelava no peito; ele estava encharcado de suor. Duas vezes ele tropeçou e, desesperado, agarrou-se ao corrimão para se equilibrar.

A figura encapuzada continuou a se aproximar, mais e mais.

Então, Jack, pressentindo que o demônio iria se lançar contra ele, levantou o rosário e o mostrou à criatura. Ele também começou a entoar repetidas vezes a prece que aprendera com os Warren.

Foi apenas aos poucos que o demônio recuou.

A voz de Jack ficou cada vez mais alta, sua prece cada vez mais intensa. Então, diante de seus olhos, a criatura escura se fundiu com a parede e desapareceu.

Jack decidiu não mencionar isso nem para a esposa nem para as filhas. Ele queria que elas pensassem que as coisas estavam bem, que o aroma de rosas iria perdurar e que a vida seria simples, boa e normal.

Mas no meio da noite, pancadas explodiram nas paredes. E, no lado da casa geminada que pertencia a John e Mary, o piso estremeceu com violência, como se estivesse acontecendo um terremoto.

A assombração tinha começado mais uma vez.

Não havia dúvidas quanto a isso. O demônio e os espíritos tinham apenas esperado por uma oportunidade para atacar de novo e continuar seu ataque implacável contra a família.

Com seu retorno, as entidades usaram algumas táticas novas. O piso no lado de John e Mary estremecia com violência, e quando Mary esteve no banheiro, uma massa branca distorcida de aproximadamente 90 cm de altura e coberta de pústulas gotejantes passou direto por ela e desapareceu dentro do gabinete.

Ao longo das semanas seguintes houve um declínio drástico na saúde dos Smurl mais velhos, e as meninas Smurl tinham recaído na ansiedade e depressão. Naquele momento, todas as noites a família era assombrada.

No Ano-novo de 1987, uma atmosfera de terror dominava a casa dos Smurl mais uma vez.

No dia 10 de janeiro, as meninas foram dormir cedo, e Janet e Jack logo as seguiram. Eles estiveram dormindo por menos de meia hora quando as batidas começaram. Se ouvissem com atenção, era possível ouvir não apenas os punhos invisíveis de antigamente, mas novos sussurros estranhos e traços de risadas.

Risadas demoníacas.

Janet e Jack permaneceram despertos a noite toda, de mãos dadas e chorando.

ED E LORRAINE WARREN

Hoje, a assombração continua.

Gostaríamos de saber por quê. Mais que isso, gostaríamos de ter uma solução.

Uma mudança permanente iria ajudar os Smurl? Talvez. A assombração continuará pelo resto de suas vidas? Possivelmente. A família conseguirá suportar o estresse? Esperamos que sim.

Como demonologistas, nenhum de nós consegue se lembrar de uma assombração de tamanha tenacidade. O demônio simplesmente não quer ser desalojado. Ele concentrou sua própria essência na família Smurl e não quer soltá-los.

Nós ainda entramos em contato com os Smurl, geralmente uma vez por semana. Assim como o padre (agora bispo) McKenna. De tempos em tempos, um membro de nossa equipe de pesquisa tem uma ideia, a qual experimentamos, mas até agora nada foi bem-sucedido.

Ainda existe, é claro, o terrível prospecto de uma possessão, pois este é o objetivo derradeiro de todas as assombrações. Jack em particular está bem ciente disso, pois é Jack quem o demônio parece desprezar mais.

Quanto a algumas palavras finais de otimismo, podemos apenas refletir sobre o que o bispo McKenna disse: que a experiência dos Smurl possa apagar quaisquer dúvidas que os descrentes possam ter a respeito da existência do mundo espiritual. Tudo o que você precisa fazer é ficar na casa dos Smurl para saber que os demônios são uma parte da realidade bastante verdadeira e muito perigosa.

O maior presente que podemos oferecer aos Smurl é a nossa contínua fé e as nossas orações de que algum dia seu fardo será retirado e que o perfume de rosas irá preencher seu lar para sempre.

57
HOJE

Os Smurl vivem o mais discretamente possível, queridos e admirados pelo que vêm suportando, temerosos de que a assombração que os vem afligindo nunca tenha um fim.

Com toda certeza, há risos no lar dos Smurl. Também há orgulho, esperança e uma alegria verdadeira.

Mas nos recantos da noite sempre há o prospecto de que o demônio irá surgir e que talvez um dia irá dominar suas vidas de um modo ainda mais terrível.

Não há dúvidas de que sua história é verdadeira. Muitas testemunhas, e muita corroboração, sustentam sua nefasta história.

Tudo o que alimenta sua fé hoje em dia é que Deus em Sua bondade colocará um fim a essa provação. Em breve.

Enquanto este livro era enviado para a gráfica para a sua primeira impressão original, a família Smurl se mudou da casa geminada da Chase Street. Eles agora moram em uma comunidade suburbana calma perto dali, na Pensilvânia.

ED E LORRAINE WARREN tiveram experiências sobrenaturais enquanto cresciam, em Connecticut. Eles se tornaram namorados no ensino médio, e em seu aniversário de 17 anos, Ed se alistou na Marinha dos Estados Unidos para servir na Segunda Guerra Mundial. Poucos meses depois, seu navio afundou no Atlântico Norte, e ele foi um dos poucos sobreviventes. Logo depois, Ed e Lorraine se casaram e tiveram uma filha. Em 1952, Ed e Lorraine fundaram a New England Society for Psychic Research, o grupo caça-fantasmas mais antigo da Nova Inglaterra. De Amityville a Tóquio, eles estiveram envolvidos em milhares de investigações e exorcismos sancionados pela Igreja por todo o mundo. Eles dedicaram suas vidas e talentos extraordinários para ajudar a educar outros e lutar contra as forças demoníacas sempre que são chamados. Ed e Lorraine Warren também escreveram *Ed & Lorraine Warren: Lugar Sombrio* (DarkSide® Books, 2017), *Graveyard, Ghost Hunters, Werewolf* e *Satan's Harvest*. Ed Warren faleceu em 2006, e Lorraine em 2019.

ROBERT CURRAN nasceu em maio de 1939 e foi um proeminente jornalista e escritor. Ganhou mais de dez prêmios, inclusive um Pulitzer em 1985 por uma série de artigos sobre abusos cometidos no Hospital Estadual de Clarks Summit. *Ed & Lorraine Warren: Vidas Eternas*, publicado originalmente em 1988, foi seu primeiro livro. Ele faleceu em fevereiro de 2017 aos 77 anos.

JACK E JANET SMURL e suas filhas viveram em uma casinha na Chase Street em West Pittston, Pensilvânia. Eles enfim se mudaram para um novo lar e atualmente não estão vivenciando nenhuma atividade paranormal.

O que fazemos em vida ecoa na eternidade.

ED & LORRAINE WARREN SE REENCONTRARAM NO OUTRO LADO

DARKSIDEBOOKS.COM

WARREN